空がまぶしい、
このわたしの上に。
あそこの牛の上に。
あの山の上で生きている
一本松《まつ》の上に。
みんなおんなじに
青く青くすんで……。

国語

三
下
あおぞら

目次

一

二

三

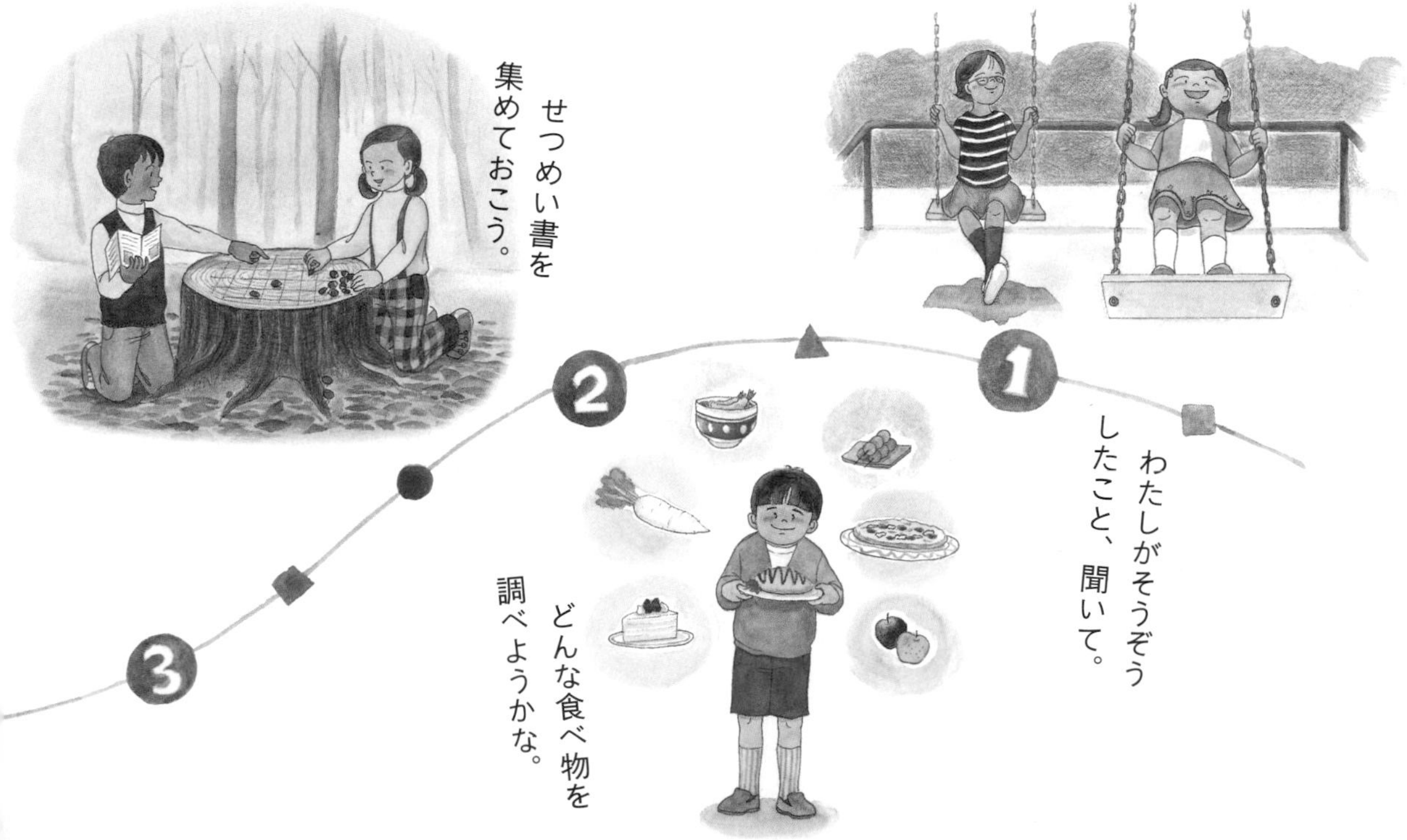

わたしがそうぞうしたこと、聞いて。
どんな食べ物を調べようかな。
せつめい書を集めておこう。

漢字って、よく見るとおもしろいね。
4

一　場面の様子をそうぞうしながら読もう

読む

「かげおくり」って、どんな遊びなのでしょう。だれが、いつ、どんな「かげおくり」をするのでしょう。

ちいちゃんのかげおくり

あまんきみこ 作
上野《うえの》紀子《のりこ》 絵

「かげおくり」って遊びをちいちゃんに教えてくれたのは、お父さんでした。

出征《せい》する前の日、お父さんは、ちいちゃん、お兄ちゃん、お母さんをつれて、先祖《ぞ》のはかまいりに行きました。その帰り道、青い空を見上げたお父さんが、つぶやきました。

「かげおくりのよくできそうな空だなあ。」

●出《シュツ》征

出征　へいたいになって、ぐんたいに入り、いくさ（せんそう）に行くこと。

◆お父《とう》さん

きき返《かえ》す

「えっ、かげおくり。」

と、お兄ちゃんがきき返しました。

「かげおくりって、なあに。」

と、ちいちゃんもたずねました。

「十《とお》、数える間、かげぼうしをじっと見つめるのさ。十、と言ったら、空を見上げる。すると、かげぼうしがそっくり空にうつって見える。」

と、お父さんがせつめいしました。

「父さんや母さんが子どものときに、よく遊んだものさ。」

「ね。今、みんなでやってみましょうよ。」

と、お母さんが横から言いました。

ちいちゃんとお兄ちゃんを中にして、四人は手をつなぎました。そして、みんなで、かげぼうしに目を落としました。

「まばたきしちゃ、だめよ。」

と、お母さんが注意しました。

「まばたきしないよ。」

ちいちゃんとお兄ちゃんが、やくそくしました。

「ひとうつ、ふたあつ、みいっつ。」

と、お父さんが数えだしました。

「ようっつ、いつうつ、むうっつ。」

と、お母さんの声も重なりました。

「ななあつ、やあっつ、ここのうつ。」

ちいちゃんとお兄ちゃんも、いっしょに数えだしました。

「とお。」

目の動きといっしょに、白い四つのかげぼうしが、すうっと空に上がりました。

「すごうい。」

と、お兄ちゃんが言いました。

「すごうい。」

と、ちいちゃんも言いました。

「今日の記念《ねん》写真だなあ。」

と、お父さんが言いました。

「大きな記念写真だこと。」

と、お母さんが言いました。

次の日、お父さんは、白いたすきをかたからななめにかけ、日の丸のはたに送られて、列車に乗りました。

○乗《の》る

「体の弱いお父さんまで、いくさに行かなければならないなんて。」

お母さんがぽつんと言ったのが、ちいちゃんの耳には聞こえました。

ちいちゃんとお兄ちゃんは、かげおくりをして遊ぶようになりました。ばんざいをしたかげおくり。かた手をあげたかげおくり。足を開いたかげおくり。いろいろなかげを空に送りました。

けれど、いくさがはげしくなって、かげおくりなどできなくなりました。この町の空にも、しょういだんやばくだんをつんだひこうきが、とんでくるようになりました。そうです。広い空は、楽しい所ではなく、とてもこわい所にかわりました。

夏のはじめのある夜、くうしゅうけいほうのサイレンで、ちいちゃんたちは目がさめました。

「さあ、急いで。」

しょういだん
たてものをやきはらうために作られたばくだん。
ある夜《よ》
くうしゅうけいほう
てきのひこうきによるこうげきを知らせる合図。

お母さんの声。

外に出ると、もう、赤い火が、あちこちに上がっていました。

お母さんは、ちいちゃんとお兄ちゃんを両手につないで、走りました。

風の強い日でした。

「こっちに火が回るぞ。」

「川の方ににげるんだ。」

だれかがさけんでいます。

風があつくなってきました。ほのおのうずが追いかけてきます。お母さんは、ちいちゃんをだき上げて走りました。

「お兄ちゃん、はぐれちゃだめよ。」

お兄ちゃんが転びました。足から血が出ています。ひどいけがです。

○追《お》いかける

○血《ち》

お母さんは、お兄ちゃんをおんぶしました。

「さあ、ちいちゃん、母さんとしっかり走るのよ。」

けれど、たくさんの人に追いぬかれたり、ぶつかったり――、ちいちゃんは、お母さんとはぐれました。

「お母ちゃん、お母ちゃん。」

ちいちゃんはさけびました。

そのとき、知らないおじさんが言いました。

「お母ちゃんは、後から来るよ。」

そのおじさんは、ちいちゃんをだいて走ってくれました。

暗い橋の下に、たくさんの人が集まっていました。ちいちゃんの目に、お母さんらしい人が見えました。

「お母ちゃん。」

と、ちいちゃんがさけぶと、おじさんは、

―― ダッシュ。文を終わりまで言い切らないときに使うしるし。

◦橋《はし》

「見つかったかい、よかった、よかった。」

と下ろしてくれました。

でも、その人は、お母さんではありませんでした。ちいちゃんは、ひとりぼっちになりました。ちいちゃんは、たくさんの人たちの中でねむりました。


朝になりました。町の様子は、すっかりかわっています。あちこち、けむりがのこっています。どこがうちなのか——。

「ちいちゃんじゃないの。」

という声。ふり向くと、はす向かいのうちのおばさんが立っています。

「お母ちゃんは。お兄ちゃんは。」

と、おばさんがたずねました。ちいちゃんは、なくのをやっとこらえて言いました。

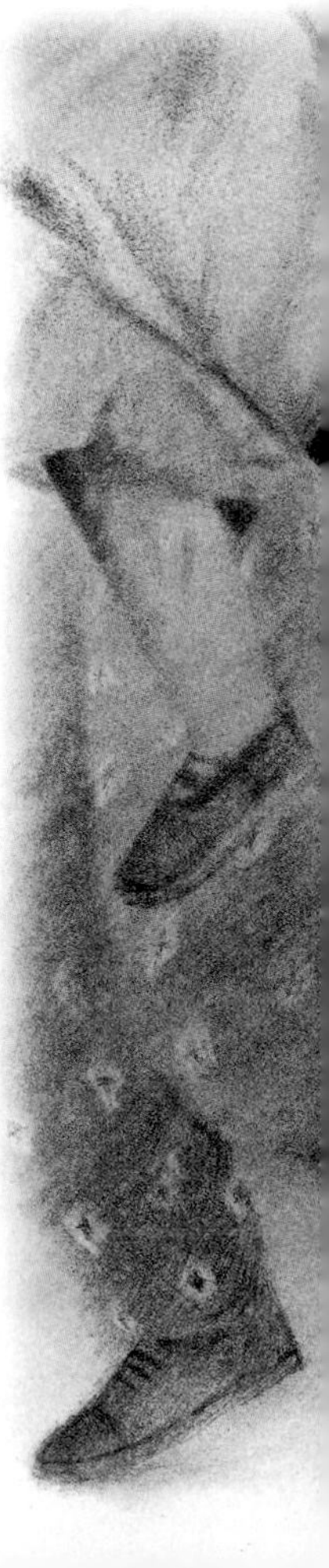

「おうちのとこ。」

「そう、おうちにもどっているのね。おばちゃん、今から帰るところよ。いっしょに行きましょうか。」

おばさんは、ちいちゃんの手をつないでくれました。

二人は歩きだしました。

家は、やけ落ちてなくなっていました。

「ここがお兄ちゃんとあたしの部屋。」

ちいちゃんがしゃがんでいると、おばさんがやって来て言いました。

「お母ちゃんたち、ここに帰ってくるの。」

ちいちゃんは、深くうなずきました。

「じゃあ、だいじょうぶね。あのね、おばちゃんは、今から、おばちゃんのお父さんのうちに行くからね。」

ちいちゃんは、また深くうなずきました。

◆部屋《へや》　○深《ふか》い

その夜、ちいちゃんは、ざつのうの中に入れてあるほしいいを、少し食べました。そして、こわれかかった暗いぼうくうごうの中で、ねむりました。

「お母ちゃんとお兄ちゃんは、きっと帰ってくるよ。」

くもった朝が来て、昼がすぎ、また、暗い夜が来ました。ちいちゃんは、ざつのうの中のほしいいを、また少しかじりました。そして、こわれかかったぼうくうごうの中でねむりました。

明るい光が顔に当たって、目がさめました。

「まぶしいな。」

ちいちゃんは、暑いような寒いような気がしました。ひどくのどがかわいています。いつの間にか、太陽は、高く上がっていました。

そのとき、

ざつのう
いろいろな物を入れてかたにかける、ぬので作ったかばん。

ほしいい
ごはんをほしてかわかした食べ物。

ぼうくうごう
ばくだんなどから身をまもるためにほった、大きなあな。

○暑《あつ》い

○寒《さむ》い

太○陽《ヨウ》

「かげおくりのよくできそうな空だなあ。」

というお父さんの声が、青い空からふってきました。

「ね。今、みんなでやってみましょうよ。」

というお母さんの声も、青い空からふってきました。

ちいちゃんは、ふらふらする足をふみしめて立ち上がると、たった一つのかげぼうしを見つめながら、数えだしました。

「ひとうつ、ふたあつ、みいっつ。」

いつの間にか、お父さんのひくい声が、重なって聞こえだしました。

「ようっつ、いつうつ、むうっつ。」

お母さんの高い声も、それに重なって聞こえだしました。

「ななあつ、やあっつ、ここのうつ。」

お兄ちゃんのわらいそうな声も、重なってきました。

「とお。」

ちいちゃんが空を見上げると、青い空に、くっきりと白いかげが四つ。

「お父ちゃん。」

ちいちゃんはよびました。

「お母ちゃん、お兄ちゃん。」

そのとき、体がすうっとすきとおって、空にすいこまれていくのが分かりました。

一面の空の色。ちいちゃんは、空色の花畑の中に立っていました。見回しても、見回しても、花畑。

「きっと、ここ、空の上よ。」

と、ちいちゃんは思いました。

「ああ、あたし、おなかがすいて軽くなったから、ういたのね。」

そのとき、向こうから、お父さんとお母さんとお兄ちゃんが、わらいながら歩いてくるのが見えました。

花畑《ばたけ》。

「なあんだ。みんな、こんな所にいたから、来なかったのね。」

ちいちゃんは、きらきらわらいだしました。わらいながら、花畑の中を走りだしました。

夏のはじめのある朝、こうして、小さな女の子の命が、空にきえました。

それから何十年。町には、前よりもいっぱい家がたっています。ちいちゃんが一人でかげおくりをした所は、小さな公園になっています。

青い空の下、今日も、お兄ちゃんやちいちゃんぐらいの子どもたちが、きらきらわらい声を上げて、遊んでいます。

○命《いのち》

あまん　きみこ

一九三一年、中国に生まれる。作家。「車のいろは空のいろ」「おにたのぼうし」などの作品がある。

学習

▼「ちいちゃんのかげおくり」には、はじめに、家族がみんなでする「かげおくり」の場面があり、終わりのほうに、ちいちゃんが一人でする「かげおくり」の場面があります。

・二つの場面をくらべてみましょう。どんなところが同じですか。ちがいはなんでしょう。読んで分かったことと感じたことを発表しましょう。

・二つの「かげおくり」の間には、どんな出来事があったのでしょう。その間に、「ちいちゃん」のまわりからうしなわれていったものを、じゅんばんに考えてみましょう。

▼この物語には、会話がたくさん出てきます。そして、会話の前や後ろには、「つぶやきました」「きき返しました」などの言葉が使われています。このような言葉が表している様子に気をつけて、会話のところを声に出して読みましょう。

▼「ちいちゃんのかげおくり」を読んで、いちばん心にのこったところはどこでしょう。言葉や文を書き出し、その理由といっしょに発表しましょう。

えらんだ言葉や文がある場面を、聞く人に様子がよく分かるように音読しましょう。

家族《ゾク》

感《カン》じる

言葉

▼動作を表す言葉には、にているようでも、ちがう意味を表すものがあります。それぞれ、どんな様子を表すでしょう。

・見上げる　（4ページ7行目）

・目を落とす　（6ページ3行目）

・見つめる　（14ページ6行目）

「見る」に関《かん》係のある言葉は、ほかにもあります。それぞれ、意味を考えたり短い文を作ったりしましょう。

・目にする　・見落とす

様子をそうぞうする

一つ一つの言葉が表す意味を、できるだけくっきりと、心の中に絵をかくように思いうかべましょう。

・様子を表す言葉――「青い空」の「青」は、あなたが知っているどんな「青」に近いでしょう。

・言葉のちがい――「見る」と「見つめる」、「言う」と「つぶやく」は、どうちがうでしょう。

短《みじか》い。

漢字	読み
返	ヘン　かえす　かえる
乗	ジョウ　のる　のせる
追	ツイ　おう
血	ケツ　ち
橋	キョウ　はし
深	シン　ふかい　ふかまる　ふかめる
暑	ショ　あつい
寒	カン　さむい
陽	ヨウ
畑	はた　はたけ
命	メイ　いのち
族	ゾク
感	カン
短	タン　みじかい

↓76ページを見よう。

こそあど言葉

①
その本、かしてくれる。
②
どの本。
その、真ん中の赤い表紙の本だよ。
③
ああ、これだね。はい。
どうもありがとう。
④
あの本もおもしろかったよ。
今度、読んでみるね。

「これ・それ・あれ」や、「この・その・あの」などは、何かを指ししめす言葉です。また、たずねるときには、「どれ・どの」などの言葉を使います。これらをまとめて「こそあど言葉」といいます。

▼どんなときに、どんな「こそあど言葉」を使っていますか。上の絵を見て、同じようにとなりの人とやりとりをして、たしかめましょう。

「こそあど言葉」は、次のように使い分けられます。

こ	話し手に近い場合
そ	相手に近い場合
あ	話し手からも相手からも遠い場合
ど	指ししめすものがはっきりしない場合

▼次の表をかんせいさせましょう。

こ	そ	あ	ど
これ		あれ	どれ
ここ	そこ		どこ
	そちら	あちら	どちら
	そっち	あっち	どっち
こんな	そんな		どんな
こう		ああ	
この	その	あの	

▼教室の中で、友だちと組になって、「こそあど言葉」を使ったやりとりをしてみましょう。

漢字の広場

二年生で習った漢字④

▼日曜日の家の中の様子です。だれが、どんなことをしていますか。こそあど言葉もいくつか入れて、文章を書きましょう。

日曜日
人形
絵
画用紙
才のう
兄
母
一万円

台所
戸だな
姉
父
里いも
肉

京都
お茶
黄色
同じ
組む
弟
親友
何回
妹
船
小刀

れい

母が、集金の人に一万円をわたしています。

「これで、おつりをください。」

二　大事なことをたしかめよう

読む　書く

身の回りの食べ物には、どんなひみつがあるのでしょう。大事なことに気をつけて、読んだり書いたりしましょう。

すがたをかえる大豆

国分《こくぶん》　牧衛《まきえ》

わたしたちの毎日の食事には、肉・やさいなど、さまざまなざいりょうが調理されて出てきます。その中で、ごはんになる米、パンやめん類《るい》になる麦のほかにも、多くの人がほとんど毎日口にしているものがあります。なんだか分かりますか。それは、大豆です。大豆がそれほど食べられていることは、意外と知られていません。大豆は、いろいろな食品にすがたをかえていることが多いので気づかれないのです。

大豆《ズ》

大豆は、ダイズという植物のたねです。えだについたさやの中に、二つか三つのたねが入っています。ダイズが十分に育つと、さやの中のたねはかたくなります。これが、わたしたちが知っている大豆です。かたい大豆は、そのままでは食べにくく、消化もよくありません。そのため、いろいろ手をくわえて、おいしく食べるくふうをしています。

いちばん分かりやすいのは、大豆をその形のままいったり、にたりして、やわらかく、おいしくするくふうです。いると、豆まきに使う豆になります。水につけてやわらかくしてからにると、に豆になります。正月のおせちりょうりに使われる黒豆も、に豆の一つです。に豆には、黒、茶、白など、いろいろな色の大豆が使われます。

○植《ショク》物

○育《そだ》つ

○消《ショウ》化《カ》

●豆《まめ》まき

次に、こなにひいて食べるくふうがあります。もちやだんごにかけるきなこは、大豆をいって、こなにひいたものです。

また、大豆にふくまれる大切なえいようだけを取り出して、ちがう食品にするくふうもあります。水をいっぱいにすいこんだ大豆をすりつぶすと、白っぽいしるが出てきます。これに水をくわえて熱《ねっ》します。その後、ぬのを使って中身をしぼり出し、かためるためにニガリというものをくわえます。こうすると、とうふができあがります。

さらに、目に見えない小さな生物の力をかりて、ちがう食品にするくふうもあります。ナットウキンの力をかりたのが、なっとうです。むした大豆にナットウキンをくわえ、あたたかい場所に一日近くおいて作ります。コウジカビの力をかりたものが、みそやしょうゆです。みそを作るには、まず、むした米か麦にコウジカビをまぜたものを用意します。それと、しおを、にてつぶした大豆にくわえてまぜ合わせます。ふたを

○取《と》り出す

して、風通しのよい暗い所に半年から一年の間おいておくと、大豆はみそになります。しょうゆも、よくにた作り方をします。

これらのほかに、とり入れる時期や育て方をくふうした食べ方もあります。ダイズを、まだわかくてやわらかいうちにとり入れ、さやごとゆでて食べるのが、えだ豆です。また、ダイズのたねを、日光に当てずに水だけをやって育てると、もやしができます。

このように、大豆はいろいろなすがたで食べられています。ほかの作物にくらべて、こんなに多くの食べ方が考えられたのは、大豆が味もよく、畑の肉といわれるくらいたくさんのえいようをふくんでいるからです。そのうえ、やせた土地にも強く、育てやすいことから、多くのちいきで植えられたためでもあります。

大豆のよいところに気づき、食事に取り入れてきた昔の人々のちえにおどろかされます。

10

5

時期キ
°期

日光
コウ
•光

•植
う
える

国分　牧衛

一九五〇年、岩手（いわて）県生まれ。農学者（のう）。ダイズやイネの研究をしている。

に豆

きなこ

とうふ

いり豆

えだ豆

大豆

もやし

しょうゆ

みそ

なっとう

学習

▼「すがたをかえる大豆」には、大豆の食べ方がいくつに分けて書いてありましたか。ノートに、おいしく食べるくふうと食品を書き出して整理しましょう。

	おいしく食べるくふう	食品
1	その形のままいったり、にたりして、やわらかくする。	・豆まきの豆 ・に豆
2		

▼「すがたをかえる大豆」の文章の書き方について考えてみましょう。

・「はじめ」の部分で、これから何についてせつめいするかが分かる。

・「終わり」に、全体のまとめがある。

「中」の部分は、いくつ段《だん》落があり、何が、どのように書いてあるでしょう。

言葉

▼「すがたをかえる大豆」には、人が大豆に手をくわえるときの言葉がたくさん出てきます。さがしてみましょう。

・いる　・にる　・（こなに）ひく

・すりつぶす　・しぼり出す

豆　トウ　ズ　まめ

植　ショク　うえる　うわる

育　イク　そだつ　そだてる

消　ショウ　きえる　けす

化　カ　ばける　ばかす

取　シュ　とる

期　キ

↓76ページを見よう。

食べ物はかせになろう

「すがたをかえる大豆」を学習して、「もっとくわしく知りたい。」「これはどうなんだろう。」と思ったことはありませんでしたか。今度は自分たちで、身近な食べ物について本で調べてみましょう。そして、分かったことをクラスのみんなに知らせましょう。

1 調べることを決めよう。

まず、調べる食べ物を決めましょう。大豆・米・麦などは、ざいりょうです。カレーライス・すしなどは、りょうりです。ソーセージ・クッキーなどは、食品です。いろいろある中から、どれか一つをえらびます。

次に、その食べ物の、どんなことについて調べるのかを決めましょう。

知りたいことやぎもんに思うことを書き出して、その中からえらぶといいでしょう。

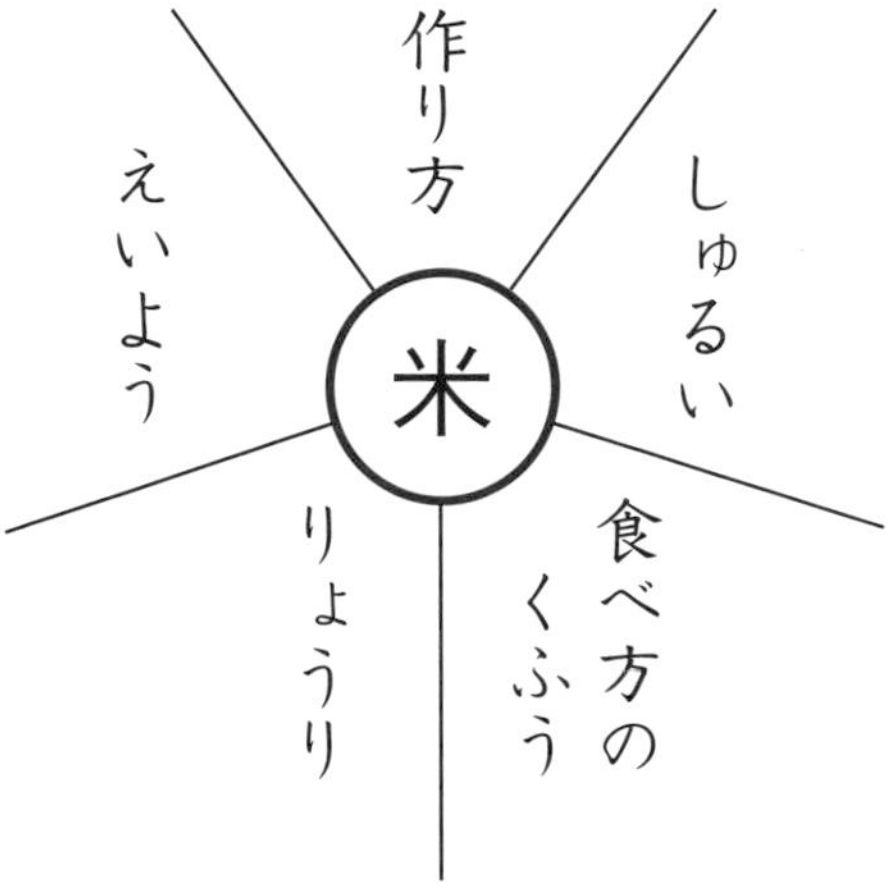

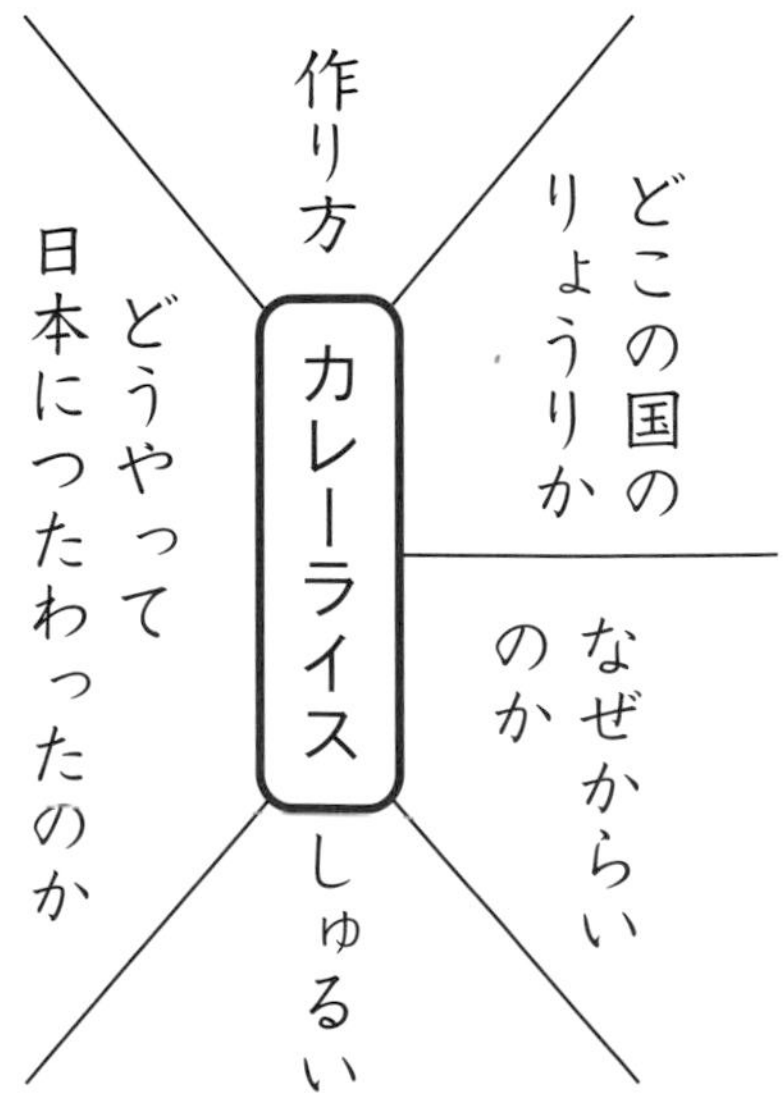

2 調べよう。

①本をさがす。

学校の図書館などで、調べたいことがのっていそうな本を何さつかさがしましょう。先生や係の人に相談してもいいですね。

②調べたい事がらをさがし出す。

本の題名に調べたい事がらが表れていなくても、また、一さつ全部読まなくても、目次やさくいんを見れば、調べたいことが本のどこに書いてあるかが分かることがあります。

相談《ダン》

本で調べる

○本をさがす

【事典《てん》・図鑑《かん》】

いろいろな事がらについて見出しごとにせつめいした本。事典は主に言葉で、図鑑は主に絵や写真でせつめいしている。

事典には、百科事典、人物事典などがあり、図鑑には、植物図鑑、動物図鑑などがある。

【単《たん》行本・シリーズ】

単行本は、一つの話題についてくわしく書いてある本。題名にないようが表れていることが多い。

〈れい〉「お米のひみつ」

形式やないようのにている本が、何さつかでひとつづきになっているものを、シリーズとよぶ。

〈れい〉「日本の祭り・春」
（夏・秋・冬）
「そだててあそぼう①」

○本の中をさがす

【目次】

本のはじめにあって、ないようの見出しが、ページのじゅんにならべてある。

【さくいん】

本の終わりにあって、その本に取り上げてある事がらや、人名・地名などが、どのページにあるかが分かるように整理してある。

さくいん

あ	
アイガモ	9
アイスクリーム	67
赤米《あかごめ》	6
朝市《あさいち》	16
アズキ	38
アブラナ	24
アボカド	24

③調べたことを書き出す。

・大事なことを落とさずに書く。

・調べた本の名前、出版《ぱん》社名、出版年を書く。

・分からない言葉は、しるしをつけて、後で国語辞《じ》典などで調べる。

米から作られる食品	
調べたこと	もちとあられについて
調べた日	十一月十七日
調べて分かったこと	もちは、もち米をむして、ついたもの。あられは、小さく切ってかんそうさせたもちを、やいたり、油であげたりしたもの。
調べた本	生活大図鑑（○○社、○○○○年）

3 調べたことを整理して、文章にまとめよう。

調べて分かったことを、事がらごとにまとめ、「すがたをかえる大豆」のように、段《だん》落を分けて書きましょう。むずかしい言葉は書きかえたり、せつめいをつけたりすると、読む人に分かりやすいですね。

●形《ケイ》○式《シキ》　○祭《まつ》り　○油《あぶら》

みんなの文章をまとめて、グループやクラスで本を作りましょう。

米から作られる食品

原田　ともみ

米から作られる食品には、いろいろなしゅるいのものがあります。

まず、みんながよく知っているもちです。もちは、もち米をむして、うすときねを使ってついて作ります。もちを小さく切ってかんそうさせ、やいたり油であげたりすると、あられになります。

次に、米をこなにして作る食品があります。だんご・大福・しるこに入っている白玉などは、こなに水を入れてねり、ゆでたりふかしたりして作ります。

・白《しら》玉

談　ダン

式　シキ

祭　サイ　まつる　まつり

油　ユ　あぶら

↓77ページを見よう。

カンジーはかせの音訓《くん》遊び歌

カンジーはかせが「音訓山」に遠足に行くことになりました。はかせは楽しそうに歌いながら歩いています。

遠くへ遠足うれしいな
楽しい音楽道づれに
登山だ、みんなで山登り
昼食すんだら、
お昼ねしよう
みんなで写す記念《ねん》写真
来年も来たいな音訓山

▼カンジーはかせの歌で、かるたを作って遊びましょう。自分で漢字の音と訓を使った歌を作るのも楽しいですね。

・村長　村の有名人
・口笛ふいたら　汽笛が鳴った
・第一走者が　走りぬけ
・大きな通りが　通学路
・病をなおしに　病院へ
・石炭　ふしぎなもえる石
・わたしの家は　家具屋です
・去年　ふるさと去りました
・上等のケーキ　等しく分ける

●昼《チュウ》食
●村《ソン》●長《チョウ》
○有《ユウ》名人
口○笛《ぶえ》
○第《ダイ》一●走《ソウ》者
通学○路《ロ》
病○院《イン》
●石《セキ》○炭《タン》
家○具《グ》屋
○去《キョ》年
上○等《トウ》

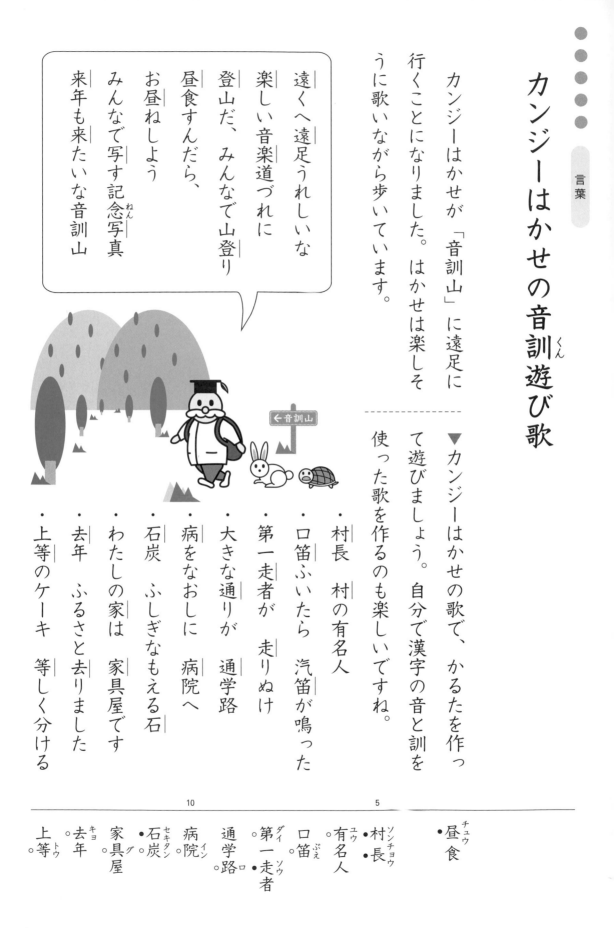

・大根　にんじん　どちらも根っこ
・一生すきだよ　生たまご
・船長　船で旅に出る
・毛筆使って　一筆書き
・羊毛ふわふわ　羊さん
・丸太を運ぶ　運転手
・空きかん　空気は入ってる

読みふだ

村長
村の有名人

取りふだ

大根《コン》
一生《ショウ》
生《なま》たまご
船《セン》長
毛《モウ》筆《ヒツ》
羊《ヨウ》毛
丸太《タ》
運《はこ》ぶ
空《あ》きかん
空《クウ》気

有　ユウ　ある
笛　テキ　ふえ
第　ダイ
路　ロ　じ
院　イン
炭　タン　すみ
具　グ
去　キョ　さる
等　トウ　ひとしい
根　コン　ね
筆　ヒツ　ふで
羊　ヨウ　ひつじ
運　ウン　はこぶ

↓77ページを見よう。

送りがな

①空きかんを拾って、川原に集める。

②空きかんを拾って、川原に集まる。

「あつめる」と「あつまる」は、ちがう意味の言葉です。①と②の文で、もし「集る」と書かれていたら、どちらの言葉か分かりません。

送りがなは、意味を正しくつたえるために大切なはたらきをしています。

文の中での使い方によって、一つの言葉の形がかわり、送りがなもかわることがあります。

・まちがった字は書かない。

・九州のおじさんに手紙を書きたい。

・申しこみ用紙に名前を書く。

・漢字で書けば、よく分かる。

・習った漢字を使って書こう。

・手帳に予定を書いた。

◦拾《ひろ》う

◦九州《シュウ》

◦申《もう》しこむ

◦手帳《チョウ》

◦予《ヨ》定《テイ》

◆川原《かわら》

拾 ひろう

州 シュウ

申 もうす

帳 チョウ

予 ヨ

定 テイ ジョウ さだめる さだまる

↓77ページを見よう。

せつめい書を書く――何かのしかたや作り方――

・全体のないようを，じゅんじょにしたがっていくつかに区切り，まとまりに分けて書きます。

・小見出しは，そのひとまとまりに何が書いてあるかを，短い言葉や文で表します。

・絵や図，写真などを入れると，様子がよくつたわります。

3 みんなに読んでもらおう。

せつめい書を，クラスのみんなに読んでもらいましょう。おたがいのかんそうもつたえましょう。

横書きのとき

・文は，左から右に書きます。

・たて書きのときに打つ点（、）の代わりに，多くの場合コンマ（，）を用います。ただし，点（、）を用いることもあります。

・数字は，「1」「2」「3」……を用います。ただし，「一つ」「一部分」「一度に」「二日目」のようなときには，漢字で書きます。

◦打《う》つ　•用《もち》いる

↴78ページを見よう。

打　ダ　う**つ**
鉄　テツ
平　ヘイ　ビョウ　たい**ら**　ひら
安　アン　やす**い**
守　シュ　まも**る**
曲　キョク　ま**がる**　ま**げる**
速　ソク　はや**い**　はや**める**
練　レン　ね**る**

〈ちょっとひと言〉

家の人や友だちに見てもらおう。だれかにほめられると，やる気が出る。

⑥ 曲がってみよう。（六日目）

鉄ぼうのまわりを回って，横に曲がる練習をする。体ごと回すと，うまく曲がることができる。

〈ちょっとひと言〉

左右，どちらにも曲がれるように。

⑦ 長いきょりをこいでみよう。（七日目）

公園に大きな円をかくつもりで，まず4分の1をこいでみる。それができたら，4分の2，4分の3と練習する。

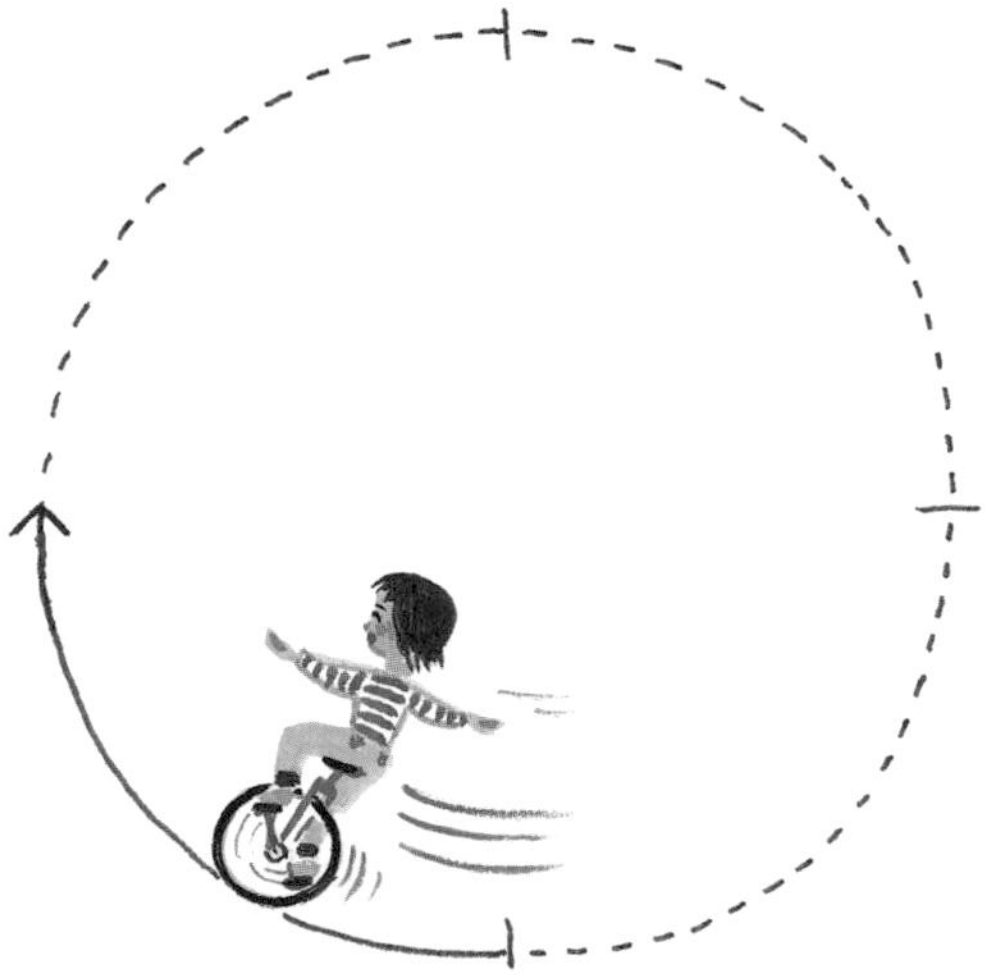

〈ちょっとひと言〉

おめでとう。

にこいでみる。

〈ちょっとひと言〉

前にすべらないように注意する。

③ 速くこいでみよう。（三日目）

公園のさくにつかまって，少し速めにこいでみる。このとき，つかまるところを少しずつかえてみて，高いところにつかまっても，ひくいところにつかまっても，こげるようにする。

〈ちょっとひと言〉

むずかしい人は，鉄ぼうにつかまる練習をもう一度。

④ つかまらないで乗ってみよう。（四日目）

ここからは，なんにもつかまらないで乗る練習をする。鉄ぼうの柱のところを持ってから，手をはなす。

1メートルぐらい進めるようになるまで，これをくり返す。

〈ちょっとひと言〉

こわがらないで，何度でもやろう。

⑤ 少し長くこいでみよう。（五日目）

きのうと同じやり方で，今日は2メートル進めるまで練習する。

このせつめい書を読めば，あなたも，一週間で一輪車に乗れるようになります。

まず，次の三つのことを守ってください。

・毎日，かかさずに練習する。

・安全のため，長ズボンをはく。

・広くて平らな場所で練習する。

① 一輪車になれよう。（一日目）

鉄ぼうか手すりにつかまって，サドルにまたがる。またがったら，つかまりながら，ゆっくり前へとペダルをこぐ。

一日目は，これができるように，何回もくり返して練習する。

〈ちょっとひと言〉

あせらないで，一輪車になれることから始めよう。はじめから乗れる人はいないのだから，心配しなくてもだいじょうぶ。

② 前後にこいでみよう。（二日目）

一日目と同じことを10回ぐらい練習してから，鉄ぼうに両手でつかまって，前後

○鉄《テツ》ぼう　○平《たい》ら　○安《アン》全　○守《まも》る

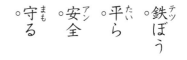

・まとまりごとに分けて，小見出しをつける。

・文だけでは分かりにくいところには，絵を入れる。

・目次を作って，本文の前に入れる。

このほかに，どんなくふうがありますか。本を見たり，友だちと話し合ったりして，考えてみましょう。

馬場さんは，一週間で一輪《りん》車に乗れるようになったことを，せつめい書に書きました。よく見かけるせつめい書と同じように，横書きにしました。

一週間で一輪車に乗れる

馬場　まりこ

〈目次〉　① 一輪車になれよう。（一日目）

② 前後にこいでみよう。（二日目）

③ 速くこいでみよう。（三日目）

④ つかまらないで乗ってみよう。（四日目）

⑤ 少し長くこいでみよう。（五日目）

⑥ 曲がってみよう。（六日目）

⑦ 長いきょりをこいでみよう。（七日目）

◆二日《ふつか》

◦曲《ま》がる

◦速《はや》い

小見出し　一つの文章をいくつかに分けて、それぞれにつける題。

三　まとまりに分けて書こう　書く

とくいなことについて，練習のしかたや作り方を友だちにせつめいしましょう。

せつめい書を作ろう

1 何についてせつめいするかを決めよう。

スポーツ・遊び・楽器《き》・工作・りょうりなどの中から，あなたがとくいなものをえらびましょう。できるようになるまでに，どんなくふうや練習をしたかを，思い出してみましょう。

2 どんなせつめい書にするかを考えて書こう。

読む人に，「やり方がよく分かった。」「わたしも，ためしてみたい。」と思ってもらえるには，どんな書き方をしたらいいでしょう。

次のことに気をつけましょう。

○練《レン》習

漢字の広場

二年生で習った漢字⑤

▼家を出て、線路まで歩いていきます。何がありますか。どんな人がいますか。文章に書きましょう。

•晴《セイ》天　•近《キン》所

れい

公園の広場には、犬をつれた女の子がいます。

考えを整理して話し合おう

名前をつけよう

話す・聞く

山下さんのクラスでは、ポートボールのチーム名を決めることになりました。チームごとに集まって、黒板に書かれた「話し合いの進め方」にそって、話し合いが始まりました。

話し合いの進め方

①一人一人が考えた名前をカードに書く。
②名前と、考えた理由を一人ずつ話す。
③しつもんしたり意見を出したりして話し合い、チーム名を決める。

ドラゴンファイターズ

強そうな名前がいいと思ったから。

みんなでシュートチーム

力を合わせる感じが出る名前がいいと思ったので。

ウルトラドリームセブン

かっこよくて、目立つから。

いつもにこにこチーム

みんなで楽しくゲームができるように。

あしかっ子チーム

あしかみたいにボールを使いたくて。

一人一人が名前と理由を話し、しつもんし合うと、おたがいの考えがよく分かりました。

山下さんたちは、できるだけみんなの考えを生かした名前になるように、話し合いを進めることにしました。そして、友だちの意見について、自分の意見とにているところ、さんせいできるところ、つけ足したいことなどを考えて、出し合いました。

山下さんたちのチームでは、「強そう」と「みんなで楽しく」の二つの考えが大事だということにまとまりました。そこで、

ぼくは、かっこよくて目立つ名前がいいと思っていたけれど、山下さんの「強そうな名前」というのは大事だと思いました。かたかなというところがにているし、「ドラゴンファイターズ」にさんせいします。
強そうな名前がいいというのは、わたしもさんせいです。でも、川田さんの「みんなで楽しくゲームができるように」ということも大切だと思いました。この二つの考えを合わせた名前は考えられないでしょうか。

それぞれの考え方にいちばん合う名前のよいところを合わせて、チーム名を決めました。

ドラゴンファイターズ
いつもにこにこチーム
→ にこにこファイターズ

▼話し合って、名前をつけましょう。

・クラスで育てている生き物
・学級文庫や学級文集、グループ新聞
・そうじなどの作業をするグループ
・クラスのいろいろな係や委員

それぞれの考えを分かり合う

・意見を言うときには、なぜそう考えたかという理由もつたえる。
・それぞれの意見の、同じ部分とちがう部分を整理する。
・おたがいの意見のよいところを生かすように考え、発言する。

学級《キュウ》文庫《コ》　作業《ギョウ》　委《イ》員《イン》

級《キュウ》　庫《コ》　業《ギョウ》　委《イ》　員《イン》

↓78ページを見よう。

漢字の意味

言葉

次の文を読んで、どちらの絵のことか分かりますか。

・人形にはなをつける。

花

鼻

「はな」という言葉を漢字で書けば、どちらの意味かすぐ分かります。

漢字はそれだけで意味も表します。同じ発音の言葉でも、意味がちがえば、使われる漢字がちがってきます。

▼絵を見て、――線のついた言葉に当てはまる漢字を書きましょう。

・はがきれいだ。

歯

・ひに当たる。

○歯《は》

▼次の文の□には、（　）の中のどちらが当てはまるでしょうか。

カイ（回・階）

・君が家に遊びに来るのは二□目だ。

・友人に、二□の勉強部屋を見せる。

カイテン（回転・開店）

・スーパーマーケットの□□セールは、こんざつしていて暑苦しかった。

・スケートで、三□□ジャンプをする。

キシャ（汽車・記者）

・新聞□□のインタビューを受けた。

・県立図書館で、昭和のはじめの駅の様子や□□について調べる。

カジ（家事・火事）

・山□□の消火作業を行う。

・□□のてつだいで、じゃがいもの皮むきと皿あらいをする。

5

○階《カイ》　○君《きみ》　○勉《ベン》●強《キョウ》　○暑苦《くる》しい

○受《う》ける　○県《ケン》●立《リツ》　○昭《ショウ》○和《ワ》　○皮《かわ》むき　○皿《さら》あらい

歯　シ　は

階　カイ

君　クン　きみ

勉　ベン

苦　ク　くるしい　くるしむ　くるしめる　にがい　にがる

受　ジュ　うける　うかる

県　ケン

昭　ショウ

和　ワ

皮　ヒ　かわ

皿　さら

↓78ページを見よう。

書く

たから物をさがしに

次のページにある、たから島の地図を見てみましょう。

この絵地図には、たから物のある場所と、そこまでの道すじがえがかれています。とちゅうには、川や火山、おそろしい動物などのきけんが待ち受けています。

▼絵地図を見ながら、男の子と女の子が、たから物を手に入れるまでのことをそうぞうして、物語を作りましょう。

〈書く前に考えよう〉

・二人は、どうやって地図を手に入れたのでしょう。出発するまでの様子を考えて、書きだしをくふうしましょう。

・二人は、どの道をえらんで行きますか。通る道を考え、出会うものや動物をたしかめましょう。

・きけんなものに出会ったとき、どうするでしょうか。二人の行動をそうぞうしましょう。

・まわりの様子や二人の気持ち、二人が話した言葉なども考えましょう。

たから島《じま》。

待《ま》ち受ける。

たから島の地図

たから物をさがしに（書きだしの部分）

かじた　なおみ

たかしと洋子が海で拾ったびんの中には、たから島の地図が入っていました。二人は、さっそく、たからさがしの旅に出かけました。

ところが、地図をよく見ると、たから物がある場所へ行くには、どの道を通っても、何かきけんが待ち受けています。二人は相談して、とらがいるけれど、いちばんの近道を行くことにしました。

「わあ、やっぱり、こわそうなとらだ。」

「あれ、でも、あのとら、なんだかへんよ。」

おそるおそる近づいてみると、とらは、大いびきをかいてねています。二人は、とらを起こさないように、そっと、その横を通りぬけようとしました。

そのとき、たかしが、足元の石につまずいて転びまし

た。その音で、とらが目をさまして、追いかけてきました。二人は、走って川をわたり、とらが来る前に、急いで橋を外してしまいました。

〈書いたら、読み返そう〉

- 様子や気持ちがよく分かるように書けていますか。
- 文と文とのつながりは、分かりにくくありませんか。
- 言い方のおかしいところや、文字のまちがいはありませんか。
- 文の終わりは、「です」「ました」か、「だ」「だった」にそろっていますか。

友だちの物語で、おもしろいな、くふうしているなと思うところを、感想カードに書いて、わたしましょう。

かじたさんへ
とらの横を通りぬけるときの様子がくわしく書けていて、どきどきしました。
西田　京子

感想《ソウ》

島《トウ しま》
待《タイ まつ》
想《ソウ》

↓
79ページを見よう。

四　言葉って、おもしろいな

話す・聞く
書く

今までに、たくさんの漢字をおぼえましたね。漢字をめぐって、みんなで楽しく話したり書いたりしましょう。

漢字と友だち

1 漢字のなりたちを知ろう。

「山」「日」「川」「月」などの漢字は、じっさいにあるものの形をえがいて作られました。では、見えないものや、絵にかけないものを表す漢字は、どのように作られたのでしょう。

〈資料《しりょう》〉あっとおどろく漢字の話

「休」の話

大昔のことです。畑ではたらいている一人の男がいました。「今年もおいしい麦ができるといいなあ。」そう思いながら、男は、暑い日ざしの下、一生けんめいはたらきました。朝からずっとはたらきどおしで、太陽はもう頭のてっぺんに来ています。「つかれたから、どこかで少し休みたいな。」と、男は思いました。あたりを見回すと、向こうの方に大きな木がありました。「あの木の下なら、きっとすずしいぞ。」そう思った男は、木の下に行き、地面にこしを下ろしてみきにもたれました。

「人」が「木」にもたれかかっている様子から、「休」という漢字ができました。

◆今年《ことし》

「名」の話

農作物を育てるのは、今も昔も、一年がかりの大仕事です。男は、来る日も来る日も、はたらきました。そのおかげで、今年もりっぱな麦がたくさんできました。見事に実った麦をかり取って、男は家へ帰ります。

帰り道、男は、向こうから人がやって来るのに気づきました。しかし、日がくれてあたりは暗く、それがいったいだれなのか分かりません。そこで、男も、その人も、相手に向かって自分の名前を大きな声でつげました。

太陽がしずみ、まわりがほとんど見えなくなる「夕」方に、人の「口」から出てくるものが、「名」というわけです。

「自」の話

家に帰ると、もう夕ごはんのしたくができていました。

男には五人の子どもがいました。みんながそろう食事の時間は、とても

○農《ノウ》作物

にぎやかです。お母さんが、大声でたずねます。

「大もりって言ったのは、だれだったかしら。」

「ぼくだよ。」

いちばん上の男の子が、自分の鼻を指さしながら答えました。


　身ぶり手ぶりで自分を表すとき、わたしたちはよく、人さし指を鼻の頭につき立てるしぐさをします。この鼻の頭を正面から見た形から、「自分」の「自」という漢字ができました。

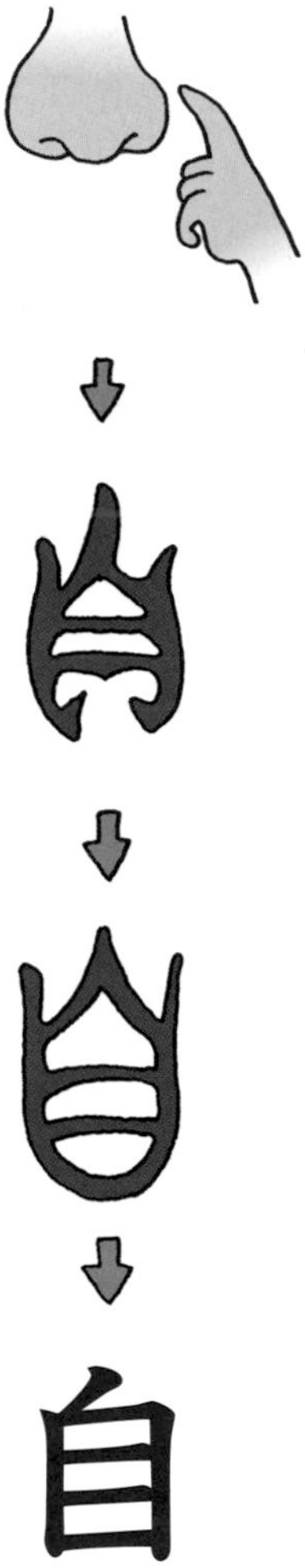

　昔の人たちは、生活の中のさまざまな場面から、上手に漢字を作り出したのです。

◆上手《じょうず》

2 漢字で遊ぼう。

いろいろな遊び方があります。楽しく遊びましょう。

〈漢字たんじょう物語〉

次の漢字は、二つの部分に分けることができます。その二つを組み合わせて、「名」のように、「漢字たんじょう物語」を書いてみましょう。

男・岩・鳴・問・聞

漢字のなりたちを書いた本を読んで、友だちに知らせてもいいですね。

「男」は、「田」と「力」に分けられるね。
「田」と「力」で、「男」になる物語を考えてみよう。

〈漢字の書き方歌〉

漢字の書き方を思い出すのに役立つ、「漢字の書き方歌」を作りましょう。

書いていくじゅんばん
が大事だね。

みんなで考えた歌をまとめると、「三年〇組　漢字の書き方歌」の本ができます。

荷

草むら（「艹」）で、
これは「何」かと思ったら、
小さなありの
小さな「荷」物。

宿

屋根の下（「宀」）、
人（「亻」）が「百」人集まって、
今日も「宿」屋は、
大はんじょう。

宿屋

◦荷《に》　◦宿《やど》

〈おもしろ漢字、大発明〉

新しい漢字を発明して、そのたんじょう物語を書いてみましょう。

「氵」は水、「亻」は人に関係《かん》する漢字だよね。どんな部分がどんな意味をもっていたか思い出してみよう。

《わたりどり》

「旅」と「鳥」で、「（わたりどり）」という漢字を作りました。

ここは北国です。冬になると、あたりは一面の銀世界。湖はこおり、鳥たちはえさの魚がとれなくなります。

ある鳥が言いました。

「あたたかい所をさがして旅に出よう。そして、春になったら、またここへもどってくるんだ。」

こうして、鳥たちは、湖の岸べから南を目指して旅立ったのです。

大発•明《メイ》　銀○世○界《セカイ》　○岸《きし》べ

農　ノウ
荷　に
宿　シュク　やど　やどる　やどす
世　セイ　セ　よ
界　カイ
岸　ガン　きし

↓79ページを見よう。

漢字の広場

二年生で習った漢字⑥

▼それぞれの教科でどんなことをしますか。そうぞうしたことも入れて、文章に書きましょう。

日直《チョク》　電池《チ》

国
算
理
1
2
3
4
5
○月○日
黒板
毛筆
時間わり
日直
国語
発言
話し合う
社会
新聞
考える
算数
3×12＝
5×24＝
計算
答える

中心
図画工作
切る
理科
電池
体育
音楽室
歌う

れい

国語の時間に、学級文庫の名前を何にするかを話し合います。

学習したことを生かして

一年間つみ重ねてきた学習を生かして、自分の力で「モチモチの木」に取り組みましょう。

話す・聞く

分かりやすく話すこと、大事なことに気をつけて聞くこと、友だちと自分の意見をくらべて話し合うことを学習しました。

発表をした

話し合いをした

読む

言葉に気をつけて読み、場面の様子をそうぞうしたり、段《だん》落ごとの中心を考えたりしました。

音読をした

本をさがした
本のおびを作った

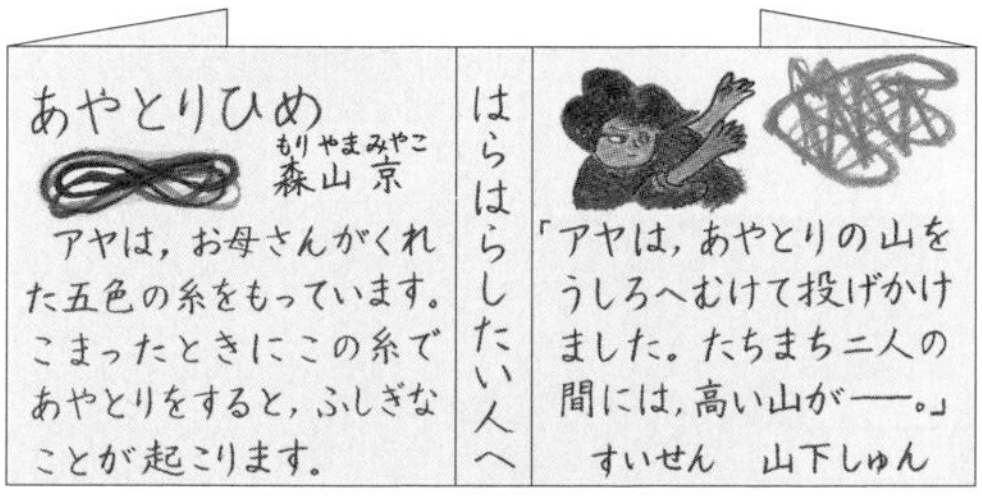

あやとりひめ
森山京《もりやまみやこ》
アヤは，お母さんがくれた五色の糸をもっています。こまったときにこの糸であやとりをすると，ふしぎなことが起こります。
はらはらしたい人へ
「アヤは，あやとりの山をうしろへむけて投げかけました。たちまち二人の間には，高い山が──。」
すいせん　山下しゅん

書く

事がらごとに段落を分け、大事なことがつたわるように書く学習をしました。

調べて、まとめた

米から作られる食品

米から作られる食品には、いろいろな

ります。

まず、みんながよく知っているもちです。もちは、もち米をむして、うすときねを使ってついて作ります。もちを小さく切ってかんそうさせ、やいたり油であげたりすると、あられになります。

次に、米をこなにして作る食品があります。だんご・大福・しるこに入っている白玉などは、こなに水を入れてねり、ゆでたりふかしたりして作ります。

せつめい書を作った

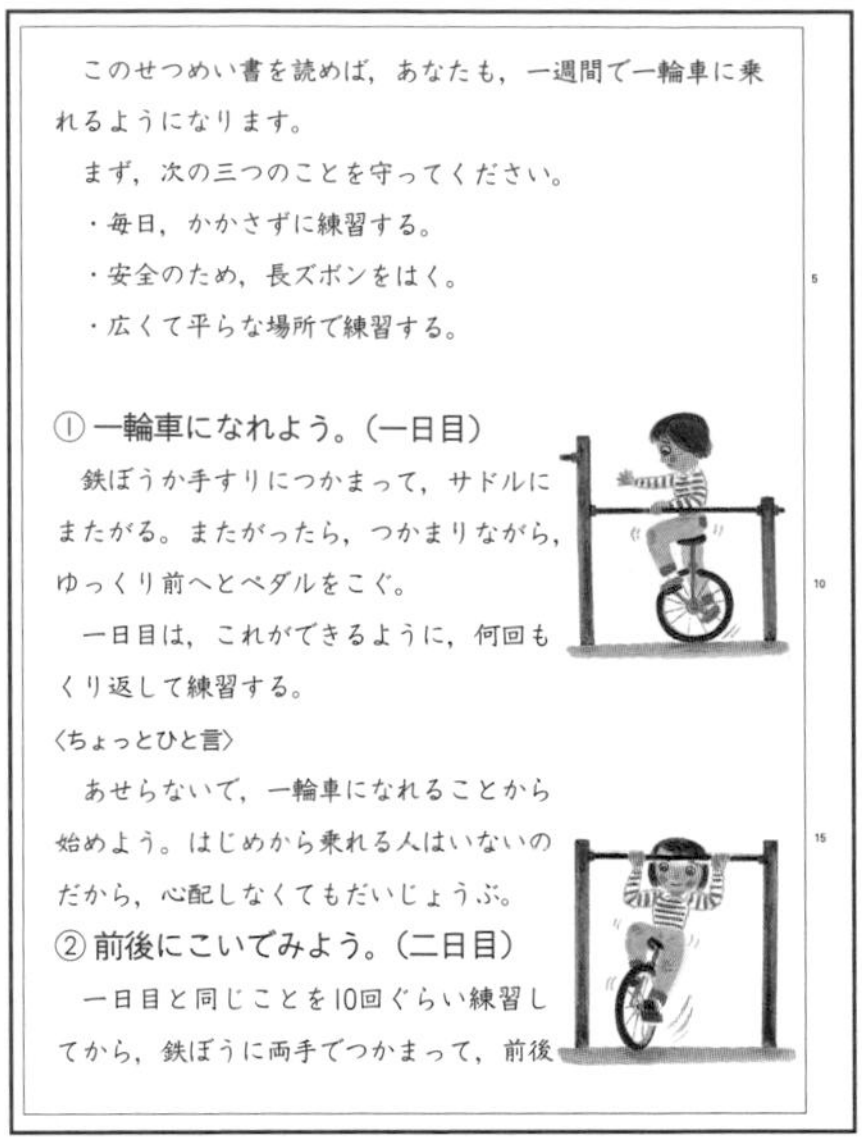
このせつめい書を読めば，あなたも，一週間で一輪車に乗れるようになります。

まず，次の三つのことを守ってください。

・毎日，かかさずに練習する。

・安全のため，長ズボンをはく。

・広くて平らな場所で練習する。

①一輪車になれよう。（一日目）

鉄ぼうか手すりにつかまって，サドルにまたがる。またがったら，つかまりながら，ゆっくり前へとペダルをこぐ。

一日目は，これができるように，何回もくり返して練習する。

〈ちょっとひと言〉

あせらないで，一輪車になれることから始めよう。はじめから乗れる人はいないのだから，心配しなくてもだいじょうぶ。

②前後にこいでみよう。（二日目）

一日目と同じことを10回ぐらい練習してから，鉄ぼうに両手でつかまって，前後

しょうたいじょうを作った

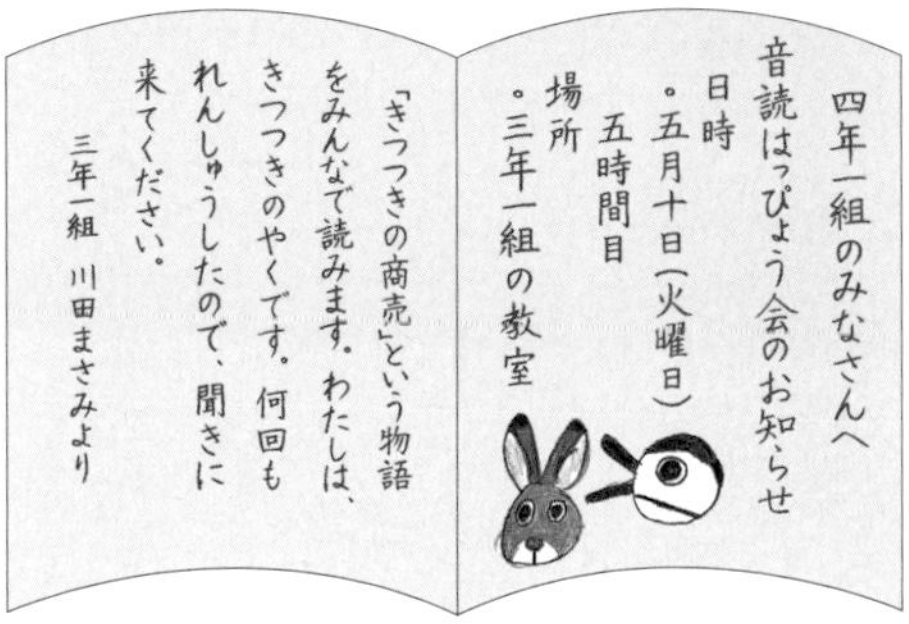
四年一組のみなさんへ

音読はっぴょう会のお知らせ

日時

・五月十日（火曜日）

五時間目

場所

・三年一組の教室

「きつつきの商売」という物語をみんなで読みます。わたしは、きつつきのやくです。何回もれんしゅうしたので、聞きに来てください。

三年一組　川田まさみより

物語を作った

学習の進め方

1　みんなで「モチモチの木」を読む。

2　どんな活動をしたいか考える。

〈れい〉

・さし絵を使った音読発表をする。

・同じ作者のほかの作品を読んで、しょうかい文を書く。

3　どのように取り組むかを考える。

〈れい〉

(1)	読み方のくふうを考える。
(2)	場面ごとに、テープに録《ろく》音して練習する。

4　自分の力で取り組む。

・中間発表をして、こまっていることを相談したり、よくなるようにたがいに意見を出したりする。

5　学習発表会をする。

モチモチの木

斎藤《さいとう》隆介《りゅうすけ》　作
滝平《たきだいら》二郎《じろう》　絵

おくびょう豆太《まめた》

全く、豆太ほどおくびょうなやつはない。もう五つにもなったんだから、夜中に、一人でせっちんぐらいに行けたっていい。

ところが、豆太は、せっちんは表にあるし、表には大きなモチモチの木がつっ立っていて、空いっぱいのかみの毛をバサバサとふるって、両手を「わあっ。」とあげるからって、夜中には、じさまについてってもらわないと、一人じゃしょうべんもできないのだ。

せっちん　べんじょのこと。
きもすけ　どきょうのある人のこと。

じさまは、ぐっすりねむっている真夜中に、豆太が「じさまぁ。」って、どんなに小さい声で言っても、「しょんべんか。」と、すぐ目をさましてくれる。いっしょにねている一まいしかないふとんを、ぬらされちまうよりいいからなぁ。

それに、とうげのりょうし小屋に、自分とたった二人でくらしている豆太が、かわいそうで、かわいかったからだろう。

けれど、豆太のおとうだって、くまと組みうちして、頭をぶっさかれて死んだほどのきもすけだっ

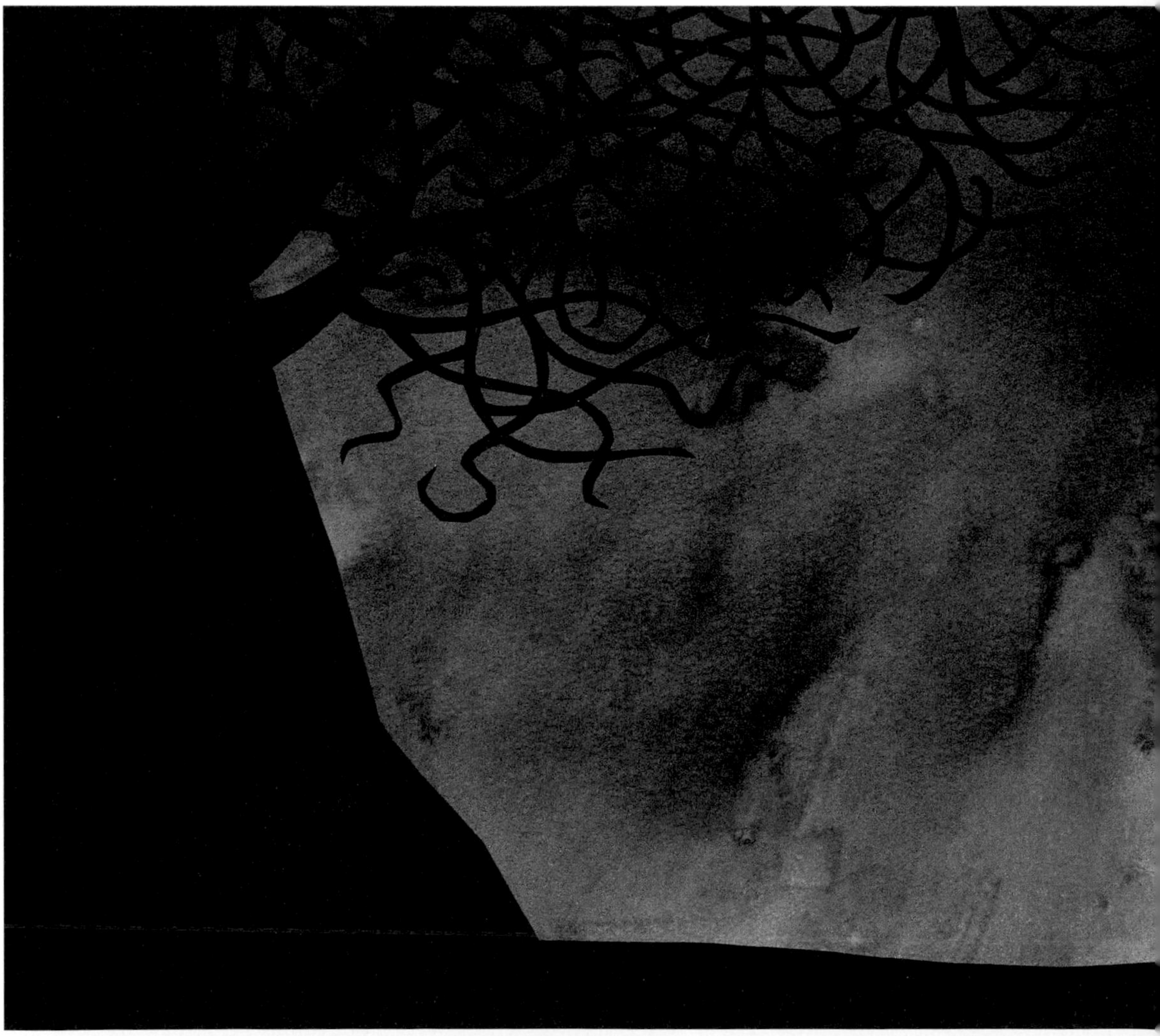

たし、じさまだって、六十四の今、まだ青じしを追っかけて、きもをひやすような岩から岩へのとびうつりだって、見事にやってのける。

それなのに、どうして豆太だけが、こんなにおくびょうなんだろうか――。

やい、木ぃ

モチモチの木ってのはな、豆太がつけた名前だ。小屋のすぐ前に立っている、でっかいでっかい木だ。

秋になると、茶色いぴかぴか光った実を、いっぱいふり落としてくれる。その実を、じさまが、木うすでついて、石うすでひいてこなに

青じし
かもしかのこと。

する。こなにしたやつをもちにこね上げて、ふかして食べると、ほっぺたが落っこちるほどうまいんだ。

「やい、木ぃ、モチモチの木ぃ、実ぃ落とせぇ。」

なんて、昼間は木の下に立って、かた足で足ぶみして、いばってさいそくしたりするくせに、夜になると、豆太はもうだめなんだ。木がおこって、両手で、「お化けぇ。」って、上からおどかすんだ。夜のモチモチの木は、そっちを見た

だけで、もう、しょんべんなんか出なくなっちまう。

じさまが、しゃがんだひざの中に豆太をかかえて、

「ああ、いい夜だ。星に手がとどきそうだ。おく山じゃぁ、しかやくまめらが、鼻ぢょうちん出して、ねっこけて《(ねむりこけて)》やがるべ。それ、シイーッ。」

って言ってくれなきゃ、とっても出やしない。しないでねると、あしたの朝、とこの中がこうずいになっちまうもんだから、じさまは、かならずそうしてくれるんだ。五つになって「シー」なんて、みっともないやなぁ。

でも、豆太は、そうしなくっちゃだめなんだ。

霜月《しもつき》二十日のばん

そのモチモチの木に、今夜は、灯《ひ》がともるばんなんだそうだ。じさまが言った。

「霜月の二十日のうしみつにゃぁ、モチ

霜月　十一月の古いよび名。

●今夜《ヤ》

うしみつ　真夜中のこと。ふつう、「うしみつ時」という。

◆二十日《はつか》

◦神《かみ》様

モチの木に灯がともる。起きてて見てみろ。そりゃぁ、きれいだ。おらも、子どものころに見たことがある。死んだおまえのおとうも見たそうだ。山の神様のお祭りなんだ。それは、一人の子どもしか、見ることはできねえ。それも、勇《ゆう》気のある子どもだけだ。」

「――それじゃぁ、おらは、とってもだめだ――」。

豆太は、ちっちゃい声で、なきそうに言った。だって、じさまもおとうも見たんなら、自分も見たかったけど、こんな冬の真夜中に、モチモチの木を、それも、たった一人で見に出るなんて、とんでも

ねえ話だ。ぶるぶるだ。

　木のえだえだの細かいところにまで、みんな灯がともって、木が明るくぼうっとかがやいて、まるでそれは、ゆめみてえにきれいなんだそうだが、そして、豆太は、「昼間だったら、見てえなぁ――」と、そっと思ったんだが、ぶるぶる、夜なんて考えただけでも、おしっこをもらしちまいそうだ――。

　豆太は、はじめっからあきらめて、ふとんにもぐりこむと、じさまのたばこくさいむねん中に鼻をおしつけて、よいの口からねてしまった。

豆太は見た

　豆太は、真夜中に、ひょっと目をさました。頭の上で、くまのうなり声が聞こえたからだ。

「じさまぁっ。」

　むちゅうでじさまにしがみつこうとしたが、じさまはいない。

よいの口
日がくれてから、まだあまり時間がたたないころ。

「ま、豆太、心配すんな。じさまは、じさまは、ちょっとはらがいてえだけだ。」

まくら元で、くまみたいに体を丸めてうなっていたのは、じさまだった。

「じさまっ。」

こわくて、びっくらして、豆太はじさまにとびついた。けれども、じさまは、ころりとたたみに転げると、歯を食いしばって、ますます すごくうなるだけだ。

「医者さまをよばなくっちゃ。」

豆太は、小犬みたいに体を丸めて、表戸を体でふっとばして走りだした。

ねまきのまんま。はだしで。半《はん》道《みち》もあるふもとの村まで――。

外はすごい星で、月も出ていた。とうげの下りの坂道は、一面の真っ白い霜で、雪みたいだった。霜が足にかみついた。足からは血が出た。豆太は、なきなき走った。いたくて、寒くて、こわかったからなぁ。

でも、大すきなじさまの死んじまうほうが、もっとこわかったから、なきなきふもとの医者さまへ走った。

これも、年よりじさまの医者さ

まは、豆太からわけを聞くと、

「おう、おう――。」

と言って、ねんねこばんてんに薬箱と豆太をおぶうと、真夜中のとうげ道を、えっちら、おっちら、じさまの小屋へ上ってきた。

とちゅうで、月が出てるのに、雪がふり始めた。この冬はじめての雪だ。豆太は、そいつをねんねこの中から見た。

そして、医者さまのこしを、足でドンドンけとばした。じさまが、なんだか死んじまいそうな気がしたからな。

豆太は、小屋へ入るとき、もう一つふしぎなものを見た。

半道　やく二キロメートル。

坂《さか》道。

ねんねこばんてん　赤ちゃんをせおうときに、赤ちゃんをつつむように着る、わた入りのはんてん。

薬箱《ばこ》。

「モチモチの木に、灯がついている。」

けれど、医者さまは、

「あ、ほんとだ。まるで、灯がついたようだ。だども、あれは、とちの木の後ろにちょうど月が出てきて、えだの間に星が光ってるんだ。そこに雪がふってるから、明かりがついたように見えるんだべ。」

と言って、小屋の中へ入ってしまった。だから、豆太は、その後は知らない。医者さまのてつだいをして、かまどにまきをくべたり、湯をわかしたりなんだり《(などして、)》、いそがしかったからな。

●明《あ》かり

弱虫でも、やさしけりゃ

でも、次の朝、はらいたがなおって元気になったじさまは、医者さまの帰った後で、こう言った。

「おまえは、山の神様の祭りを見たんだ。モチモチの木には、灯がついたんだ。おまえは、一人で、夜道を医者さまよびに行けるほど、勇気のある子どもだったんだからな。自分で自分を弱虫だなんて思うな。人間、やさしささえあれば、やらなきゃならねえことは、きっとやるもんだ。それを見て、他人がびっくらするわけよ。は、は、は。」

――それでも、豆太は、じさまが元気になると、そのばんから、

「じさまぁ。」

と、しょんべんにじさまを起こしたとさ。

○他《タ》人

斎藤　隆介

一九一七〜八五年。東京都生まれ。作家。「八郎《ろう》」「花さき山」などの作品がある。

神　シン　ジン　かみ

坂　さか

箱　はこ

他　タ

↓79ページを見よう。

たいせつ

「たいせつ」のまとめ――こんなとき、役に立ちます。

話す・聞く

行き方や作り方をせつめいする

せつめいをするとき・聞くとき
――行き方・作り方など――

・大事なことを、みじかい言葉で話す。

三年上

話し合う

話し合いで大切なこと

・友だちの意見を注意して聞く、など。

三年上

それぞれの考えを分かり合う

・意見を言うときには、理由もつたえる、など。

45ページ

発表する

発表するとき

・話す事がらを整理する、など。

三年上

人にたずねる

インタビュー

・前もって、だれに、どんなことをたずねるかを決める、など。

三年上

書く

人をしょうたいする

しょうたいじょうを書くとき

・大事なことを落とさずに書く。

三年上

分かりやすく書く

段《だん》落を分けて書く

・事がらごとに段落を分けて書く。

三年上

せつめい書を書く
――何かのしかたや作り方――

・全体のないようを、じゅんじょにしたがっていくつかに区切り、まとまりに分けて書く、など。

36ページ

横書きのとき

・文は、左から右に書く、など。

36
ページ

読む

物語を読んで聞かせる

聞く人に分かりやすく

・言葉のむすびつきを考えて読む、など。

三年上

ないようを読み取《と》る

まとまりに気をつけて読む

——段落——

・段落ごとのないようを考える。

三年上

様子をそうぞうする

・言葉の意味を考えて、心の中に絵をかくようにする。

18
ページ

本を楽しむ

おもしろさの発見

・登場人物、出来事、物語のすじ、など。

三年上

本をさがして読む

本のさがし方

・図書館の本の分け方を知る。

三年上

本で調べる

・本をさがす——事典《てん》・図鑑《かん》、単《たん》行本・シリーズ、など。

30
ページ

この本で習う漢字

（　）は、小学校では習わない読み方。△は、上の学年で習う読み方。

ページ	漢字	画数《かく》	読み方	使い方
5	返	⑦	ヘン／かえす／かえる	返事／きき返す／ひっくり返る

ちいちゃんのかげおくり

ページ	漢字	画数	読み方	使い方
5	返	⑦	ヘン／かえ**す**／かえ**る**	返事／きき返す／ひっくり返る
7	乗	⑨	ジョウ／の**る**／の**せる**	乗客　乗車／列車に乗る／客を乗せる
9	追	⑨	ツイ／お**う**	追放／追いかける
9	血	⑥	ケツ／ち	出血／血が出る
10	橋	⑯	キョウ／はし	歩道橋／橋の下
12	深	⑪	シン／ふか**い**／ふか**まる**／ふか**める**	深夜《や》／深くうなずく／秋が深まる／交流を深める
13	暑	⑫	ショ／あつ**い**	暑中みまい／暑い夏
13	寒	⑫	カン／さむ**い**	三寒四温／寒い冬
13	陽	⑫	ヨウ	太陽
15	畑	⑨	はた／はたけ	田畑　畑作／花畑
16	命	⑧	メイ／（ミョウ）／いのち	運《うん》命　命中／短い命
17	族	⑪	ゾク	家族　水族館
17	感	⑬	カン	感じる　感動
18	短	⑫	タン／みじか**い**	短時間　短所／短い文

すがたをかえる大豆

ページ	漢字	画数	読み方	使い方
22	豆	⑦	トウ／ズ／まめ	豆乳《にゅう》／大豆／豆まき　黒豆
23	植	⑫	ショク／う**える**／う**わる**	植物／木を植える／校庭に植わった　さくら
23	育	⑧	イク／そだ**つ**／そだ**てる**	体育　教育／植物が育つ／子犬を育てる
23	消	⑩	ショウ／き**える**／け**す**	消化　消火／火が消える／明《あ》かりを消す

23 化 ④
カ （ケ） ば**ける** ば**かす**
消化 文化 人に化ける 人を化かす

24 取 ⑧
シュ と**る**
取材《ざい》 取り出す

25 期 ⑫
キ （ゴ）
時期 一学期

食べ物はかせになろう
本で調べる

29 談 ⑮
ダン
相談

30 式 ⑥
シキ
形式 入学式

30 祭 ⑪
サイ まつ**る** まつ**り**
文化祭 祖《そ》先を祭る 日本の祭り

31 油 ⑧
ユ あぶら
石《せき》油 油であげる

カンジーはかせの音訓《くん》遊び歌

33 有 ⑥
ユウ （ウ） あ**る**
有名人 有り合わせ

33 笛 ⑪
テキ ふえ
汽笛 口笛 たて笛

33 第 ⑪
ダイ
第一走者

33 路 ⑬
ロ じ
通学路 道路 旅路 家路

33 院 ⑩
イン
病院

33 炭 ⑨
タン すみ
石炭 炭火 炭やき

33 具 ⑧
グ
家具 道具

33 去 ⑤
キョ △コ さ**る**
去年 過《か》去 雨雲が去る

33 等 ⑫
トウ ひと**しい**
上等 等分 長さが等しい

34 根 ⑩
コン ね
大根 根気 根っこ 屋根

34 筆 ⑫
ヒツ ふで
毛筆 一筆書き

34 羊 ⑥
ヨウ ひつじ
羊毛 羊を数える

34 運 ⑫
ウン はこ**ぶ**
運転手 運動 丸太を運ぶ

送りがな

35 拾 ⑨
（シュウ） （ジュウ） ひろ**う**
ごみを拾う

35 州 ⑥
シュウ （す）
九州

35 申 ⑤
（シン） もう**す**
申しこむ

35 帳 ⑪
チョウ
手帳 日記帳

35 予 ④
ヨ
予定 予感

35
定

テイ　予定　一定
ジョウ　三角定規《ぎ》
さだ**める**　時間を定める
さだ**まる**　目標《ひょう》が定まる
（さだ**か**）
⑧ 定

せつめい書を作ろう

41
練

レン　練習
ね**る**　こなを練る
⑭ 練

40
速

ソク　速度　高速
はや**い**　速くこぐ
はや**める**　速度を速める
（すみ**やか**）
⑩ 速

40
曲

キョク　作曲　曲線
ま**がる**　角を曲がる
ま**げる**　鉄を曲げる
⑥ 曲

39
守

シュ　守備《び》
△ス　留《る》守番
まも**る**　決まりを守る
（**もり**）
⑥ 守

39
安

アン　安全　安定
やす**い**　ねだんが安い
⑥ 安

39
平

ヘイ　平和《わ》　太平洋
ビョウ　平等
たい**ら**　平らな場所
ひら　平泳ぎ
⑤ 平

39
鉄

テツ　鉄ぼう　鉄橋
⑬ 鉄

36
打

ダ　打球　打楽器《き》
う**つ**　点を打つ
⑤ 打

名前をつけよう

45
級

キュウ　学級　上級生
⑨ 級

45
庫

コ　学級文庫
（ク）
⑩ 庫

45
業

ギョウ　作業　始業式
（ゴウ）
（わざ）
⑬ 業

45
委

イ　委員
⑧ 委

45
員

イン　委員　全員
⑩ 員

漢字の意味

46
歯

シ　歯科医　歯石
は　きれいな歯
⑫ 歯

47
階

カイ　二階　階下
⑫ 階

47
君

クン　君主
きみ　君たち
⑦ 君

47
勉

ベン　勉強
⑩ 勉

47
苦

ク　苦労《ろう》　苦心
くる**しい**　暑苦しい
くる**しむ**　病気で苦しむ
くる**しめる**　心を苦しめる
にが**い**　苦いコーヒー
にが**る**　苦り切った顔
⑧ 苦

47
受

ジュ　受験《けん》
う**ける**　電話を受ける
う**かる**　試《し》験に受かる
⑧ 受

47
県

ケン　県立　県道
⑨ 県

47
昭

ショウ　昭和
⑨ 昭

47
和

ワ　昭和　平和
（オ）
（やわら**ぐ**）
（やわら**げる**）
（なご**む**）
（なご**やか**）
⑧ 和

ページ	漢字	画数	読み	使い方
47	皮	⑤	ヒ / かわ	皮ふ　皮肉 / 皮むき
47	皿	⑤	さら	皿あらい

たから物をさがしに

ページ	漢字	画数	読み	使い方
48	島	⑩	トウ / しま	半島　列島 / たから島
48	待	⑨	タイ / ま**つ**	期待 / 待ち受ける
51	想	⑬	ソウ / （ソ）	感想　予想

漢字と友だち

ページ	漢字	画数	読み	使い方
54	農	⑬	ノウ	農作物　農業
57	荷	⑩	（カ） / に	荷物
57	宿	⑪	シュク / やど / やど**る** / やど**す**	宿題　合宿 / 宿屋 / つゆが宿る / 命を宿す
58	世	⑤	セイ / セ / よ	二十一世紀《き》 / 銀世界 / 世の中
58	界	⑨	カイ	銀世界
58	岸	⑧	ガン / きし	海《かい》岸　対岸 / 岸べ　川岸

モチモチの木

ページ	漢字	画数	読み	使い方
67	神	⑨	シン / ジン / かみ / （かん） / （こう）	神話 / 神社 / 神様
70	坂	⑦	（ハン） / さか	坂道　上り坂
71	箱	⑮	はこ	薬箱　空き箱
73	他	⑤	タ	他人　その他

これまでに習った漢字

（　）は、小学校では習わない読み方。△は、これから習う読み方。

学年	漢字	画数《かくすう》	読み方	使い方
1	花	⑦	カ はな	花だん　開花 花たば　花火

あ

兄（あに）→「ケイ」を見よう。
姉（あね）→「シ」を見よう。

学年	漢字	画数	読み方	使い方
3	悪	⑪	アク （オ） わる**い**	悪用　悪化《か》 口が悪い
3	暗	⑬	アン くら**い**	暗記　暗号 暗い森

い

妹（いもうと）→「マイ」を見よう。

学年	漢字	画数	読み方	使い方
3	医	⑦	イ	医者　歯《し》科医
3	意	⑬	イ	決意　意外
1	一	①	イチ △イツ ひと ひと**つ**	一番　一年生 同《どう》一 一口 一つ

う

学年	漢字	画数	読み方	使い方
2	引	④	△イン ひ**く** ひ**ける**	引力《りょく》　引火 つなを引く 気が引ける 
3	飲	⑫	イン の**む**	飲食 お茶を飲む
1	右	⑤	△ウ ユウ みぎ	右折《せつ》 左右 右手　右がわ
2	羽	⑥	（ウ） △は はね	羽音　羽子板 とんぼの羽 
1	雨	⑧	△ウ あめ あま	雨天 大雨　雨ふり 雨水　雨具《ぐ》

え

学年	漢字	画数	読み方	使い方
2	雲	⑫	△ウン くも	雲海《かい》　入道雲 雨雲 
3	泳	⑧	エイ およ**ぐ**	水泳　遠泳 プールで泳ぐ
3	駅	⑭	エキ	駅前　駅員《いん》
1	円	④	エン まる**い**	百円　半円 円いまど
2	園	⑬	エン （その）	公園　動物園 
2	遠	⑬	エン （オン） とお**い**	遠足　遠路《ろ》 家が遠い 

お

黄（オウ）→「コウ」を見よう。
弟（おとうと）→「テイ」を見よう。

学年	漢字	画数	読み方	使い方
1	王	④	オウ	国王　王さま
3	央	⑤	オウ	中央
3	横	⑮	オウ よこ	横転 横顔
3	屋	⑨	オク や	屋上　屋外 屋根《ね》　小屋
1	音	⑨	オン （イン） おと ね	音楽　音読 足音　物音 音色　本音
3	温	⑫	オン あたた**か** あたた**かい** あたた**まる** あたた**める**	体温　温室 温かな気持ち 温かいごはん 心温まる話 手を温める

か

川（かわ）→「セン」を見よう。

学年	漢字	画数	読み方	使い方
1	下	③	カ ゲ した しも （もと） さ**げる** さ**がる** くだ**る** くだ**す** くだ**さる** お**ろす** お**りる**	地下　下流 上下　下校 年下　下書き 川下　風《かざ》下 頭を下げる 気温が下がる 川を下る 手を下す 本を下さる 手を下ろす 山から下りる
1	火	④	カ ひ （ほ）	火山　火曜日 花火　たき火
1	花	⑦	カ はな	花だん　開花 花たば　花火
2	何	⑦	（カ） なに なん	何を食べるか 何人　何年 

科 2 ⑨
カ
教科書　理科

夏 2 ⑩
カ
（ゲ）
なつ
初《しょ》夏
夏休み　真夏

家 2 ⑩
カ
ケ
いえ
△や
家庭　家族《ぞく》
家来
家へ帰る
空《あ》き家

歌 2 ⑭
カ
うた
うた**う**
歌手　校歌
歌声　鼻歌
歌を歌う

画 2 ⑧
ガ
△カク
画用紙　画家
計画　画数

回 2 ⑥
カイ
（エ）
まわ**る**
まわ**す**
回転　今回
水車が回る
こまを回す

会 2 ⑥
カイ
（エ）
あ**う**
会社　大会
友だちに会う

海 2 ⑨
△カイ
うみ
海水　海外
青い海

絵 2 ⑫
△カイ
エ
絵画
絵本　絵日記

開 3 ⑫
カイ
ひら**く**
ひら**ける**
あ**く**
あ**ける**
開花　開始
本を開く
道が開ける
ふたが開く
ドアを開ける

貝 1 ⑦
かい
貝がら　貝柱

外 2 ⑤
ガイ
（ゲ）
そと
△ほか
はず**す**
はず**れる**
外国　野外
外で遊ぶ
思いの外
ボタンを外す
予想《よそう》が外れる

角 2 ⑦
カク
かど
△つの
三角　方角
曲《ま》がり角
牛の角

学 1 ⑧
ガク
△まな**ぶ**
学校　学年
漢字を学ぶ

楽 2 ⑬
ガク
△ラク
たの**しい**
たの**しむ**
音楽
気楽　楽園
楽しい夏休み
読書を楽しむ

活 2 ⑨
カツ
生活　活発

間 2 ⑫
カン
ケン
あいだ
ま
時間　中間
人間　世《せ》間
しばらくの間
昼間　広間

漢 3 ⑬
カン
漢字　漢方薬

館 3 ⑯
カン
図書館　開館

丸 2 ③
ガン
まる
まる**い**
まる**める**
一丸
二重丸　丸太《た》
丸い玉
紙を丸める

岩 2 ⑧
△ガン
いわ
岩石《せき》　火山岩
岩山　岩場

顔 2 ⑱
ガン
かお
顔面
顔をあらう

き

黄（き）→「コウ」を見よう。
兄（キョウ）→「ケイ」を見よう。

気 1 ⑥
キ
△ケ
天気　気分
気配

汽 2 ⑦
キ
汽車　汽船《せん》

記 2 ⑩
キ
△しる**す**
日記　記号
ノートに記す

帰 2 ⑩
△キ
かえ**る**
かえ**す**
帰国　帰路《ろ》
家に帰る
先に帰す

起 3 ⑩
キ
お**きる**
お**こる**
お**こす**
起立《りつ》　起点
朝早く起きる
火事が起こる
体を起こす

客 3 ⑨
キャク
（カク）
乗《じょう》客　客室

九 1 ②
キュウ
ク
ここの
ここの**つ**
九本　九百円
九月　九九
九日
九つ

弓 2 ③
（キュウ）
ゆみ
弓矢

休 1 ⑥
△キュウ
やす**む**
やす**まる**
やす**める**
休日《じつ》　休館
学校を休む
気が休まる
体を休める

究 3 ⑦
キュウ
（きわ**める**）
研究　究明《めい》

急 3 ⑨
キュウ
いそ**ぐ**
急用　急流
道を急ぐ

漢字	学年	画数	読み	用例
宮	3	⑩	キュウ	宮でん　王宮
			(グウ)	
			(ク)	
			みや	お宮まいり
球	3	⑪	キュウ	地球　電球
			たま	球を投げる
牛	2	④	ギュウ	牛肉　水牛
			うし	牛小屋
魚	2	⑪	ギョ	金魚
			うお	魚市場
			さかな	小魚　魚つり
京	2	⑧	キョウ	東京　京都
			(ケイ)	
強	2	⑪	△キョウ	強調　強力《りょく》
			(ゴウ)	
			つよ**い**	力が強い
			つよ**まる**	風が強まる
			つよ**める**	火を強める
			(し**いる**)	
教	2	⑪	キョウ	教科書　教室
			おし**える**	道を教える
			おそ**わる**	先生に教わる
局	3	⑦	キョク	薬局　放送局
玉	1	⑤	△ギョク	玉石《せき》
			たま	玉入れ　水玉
近	2	⑦	△キン	近所　遠近
			ちか**い**	家から近い
金	1	⑧	キン	金曜日　集金
			△コン	黄《おう》金
			かね	お金　はり金
			△かな	金あみ　金具《ぐ》
銀	3	⑭	ギン	銀色　銀行
く				
区	3	④	ク	地区　区間
空	1	⑧	△クウ	空気　空白
			そら	青い空　星空
			あ**く**	せきが空く
			△あ**ける**	家を空ける
			から	空手　空っぽ
け				
兄	2	⑤	(ケイ)	
			キョウ	兄弟
			あに	兄と弟
形	2	⑦	△ケイ	図形　形式《しき》
			ギョウ	人形
			△かた	形見　花形
			かたち	形を整える
計	2	⑨	ケイ	計算　会計
			はか**る**	時間を計る
			△はか**らう**	見計らう
係	3	⑨	ケイ	関《かん》係
			かか**る**	主語に係る
			かかり	係を決める
軽	3	⑫	ケイ	軽食　軽重
			かる**い**	軽い荷《に》物
			(かろ**やか**)	
決	3	⑦	ケツ	決定《てい》　対決
			き**める**	名前を決める
			き**まる**	勝負が決まる
月	1	④	ゲツ	月曜日　今月
			ガツ	正月　三月
			つき	毎月　月見
犬	1	④	△ケン	番犬
			いぬ	犬をかう
見	1	⑦	ケン	見学　発見
			み**る**	かがみを見る
			み**える**	空が見える
			み**せる**	絵を見せる
研	3	⑨	ケン	研究
			(と**ぐ**)	
元	2	④	ゲン	元気
			△ガン	元来　元日《じつ》
			もと	足元　根《ね》元
言	2	⑦	ゲン	発言　助言
			△ゴン	伝《でん》言
			い**う**	意見を言う
			こと	言葉　ひと言
原	2	⑩	ゲン	草原　原作
			はら	野原　原っぱ
こ				
戸	2	④	△コ	戸外
			と	雨戸　戸だな
古	2	⑤	△コ	中古車　古都
			ふる**い**	古い寺
			ふる**す**	使い古す
湖	3	⑫	コ	湖水　湖上
			みずうみ	湖のほとり
五	1	④	ゴ	五人　五年生
			いつ	五日
			いつ**つ**	五つ
午	2	④	ゴ	午前　正午
後	2	⑨	ゴ	前後　午後
			△コウ	後半　後方
			△のち	くもり後晴れ
			うし**ろ**	後ろを向く
			あと	後書き　後味
			(おく**れる**)	

語 2 ⑭
- ゴ　国語　主語
- かた**る**　昔話を語る
- かた**らう**　友と語らう

語語語語語語語

口 1 ③
- コウ　火口　人口
- △ク　口調
- くち　出口　口笛《ぶえ》

工 2 ③
- コウ　図工　工場
- △ク　大工

工工工

公 2 ④
- コウ　公園　公平《へい》
- （おおやけ）

公公公公

広 2 ⑤
- △コウ　広大
- ひろ**い**　広い海
- ひろ**まる**　話が広まる
- ひろ**める**　見聞を広める
- ひろ**がる**　青空が広がる
- ひろ**げる**　道を広げる

広広広広広

交 2 ⑥
- コウ　交番　交通
- まじ**わる**　道が交わる
- まじ**える**　刀を交える
- まじ**る**　かな交じり
- △ま**ざる**　小石が交ざる
- ま**ぜる**　トランプを交ぜる
- （か**う**）
- （か**わす**）

交交交交交交

光 2 ⑥
- △コウ　日光　光線
- ひか**る**　星が光る
- ひかり　まぶしい光

光光光光光光

考 2 ⑥
- △コウ　思《し》考
- かんが**える**　答えを考える

考考考考考考

行 2 ⑥
- コウ　通行　行進
- ギョウ　行事　行列
- （アン）
- い**く**　学校へ行く
- ゆ**く**　行く手
- おこな**う**　発表会を行う

行行行行行行

向 3 ⑥
- コウ　方向　向上心
- む**く**　正面を向く
- む**ける**　せを向ける
- む**かう**　駅へ向かう
- む**こう**　向こうがわ

幸 3 ⑧
- コウ　幸福　幸運《うん》
- さいわ**い**　幸い元気だ
- （さち）
- しあわ**せ**　幸せにくらす

校 1 ⑩
- コウ　登校　校門

高 2 ⑩
- コウ　高学年　高校
- たか**い**　せいが高い
- たか　高とび
- たか**まる**　人気が高まる
- たか**める**　声を高める

高高高高高高

黄 2 ⑪
- （コウ）
- △オウ　黄金《ごん》
- き　黄色　黄緑
- （こ）

黄黄黄黄黄黄

港 3 ⑫
- コウ　出《しゅっ》港　空《くう》港
- みなと　港町

号 3 ⑤
- ゴウ　番号　記号

合 2 ⑥
- ゴウ　合計　集合
- ガッ　合体　合宿《しゅく》
- △カッ　合戦《せん》
- あ**う**　意見が合う
- あ**わす**　手を合わす
- あ**わせる**　力を合わせる

合合合合合合

谷 2 ⑦
- （コク）
- たに　谷間　谷川

谷谷谷谷谷谷谷

国 2 ⑧
- コク　国語　全国
- くに　北国　雪国

国国国国国国国国

黒 2 ⑪
- コク　黒板　大黒柱
- くろ　白黒
- くろ**い**　黒い雨雲

黒黒黒黒黒黒

今 2 ④
- コン　今週　今月
- （キン）
- いま　今すぐ行く

今今今今

さ

左 1 ⑤
- サ　左右　左折《せつ》
- ひだり　左手　左がわ

才 2 ③
- サイ　天才

一十才

細 2 ⑪
- △サイ　細工《く》　細心
- ほそ**い**　細い糸
- ほそ**る**　やせ細る
- こま**か**　細かな文字
- こま**かい**　細かいあわ

細細細細細細細

作 2 ⑦
- サク　作者　工作
- サ　動作　作業《ぎょう》
- つく**る**　米を作る

作作作作作作作

三 1 ③
- サン　三番　三年生
- み　三日月　三毛
- み**つ**　三つおり
- み**っつ**　三つ

山 1 ③
- サン　登山　氷山
- やま　山登り

算 2 ⑭
- サン　算数　足し算

算算算算算算

し

子 1 ③
- シ　王子　調子
- △ス　様子
- こ　子ども　子犬

止 2 ④ △シ / とまる / とめる
止止止止
中止　止血《けつ》 / 電車が止まる / 車を止める

四 1 ⑤ シ / よ / よつ / よっつ / よん
四月　四角 / 四人　四年生 / 四つ角 / 四つ / 四まい　四回

市 2 ⑤ シ / いち
市市市市市
市役所 / 市場　朝市

矢 2 ⑤ (シ) / や
矢矢矢矢矢
矢じるし

仕 3 ⑤ シ / (ジ) / つかえる
仕事　仕組み / 主に仕える

糸 1 ⑥ △シ / いと
綿《めん》糸 / 毛糸　たこ糸

死 3 ⑥ シ / しぬ
死者　生死 / ペットが死ぬ

姉 2 ⑧ (シ) / あね
姉姉姉姉姉姉姉姉
姉と妹

使 3 ⑧ シ / つかう
使用　使者 / はしを使う

始 3 ⑧ シ / はじめる / はじまる
開始　始業式《ぎょうしき》 / 勉強《べんきょう》を始める / 工事が始まる

思 2 ⑨ △シ / おもう
思思思思思思思思思
思考《こう》 / うれしく思う

指 3 ⑨ シ / ゆび / さす
指名　指定《てい》 / 親指　指人形 / 東を指す

紙 2 ⑩ シ / かみ
紙紙紙紙紙紙紙
新聞紙　半紙 / 手紙　紙くず

詩 3 ⑬ シ
詩集　詩人

字 1 ⑥ ジ / (あざ)
数字　漢字

耳 1 ⑥ (ジ) / みみ
耳たぶ　空耳

寺 2 ⑥ △ジ / てら
寺寺寺寺寺寺
寺社　寺院《いん》 / 山寺　寺の門

自 2 ⑥ ジ / △シ / △みずから
自自自自自自
自分　自習 / 自然《ぜん》 / 自ら行う

次 3 ⑥ ジ / (シ) / つぐ / つぎ
次回　目次 / 事故《こ》が相次ぐ / 次の人

事 3 ⑧ ジ / (ズ) / こと
事実　返事《へん》 / 仕事　事がら

持 3 ⑨ ジ / もつ
所持品　持病 / かばんを持つ

時 2 ⑩ ジ / とき
時時時時時時
時間　当時 / 時は金なり

七 1 ② シチ / なな / ななつ / なの
七五三 / 七草　七色 / 七つ / 七日

室 2 ⑨ シツ / (むろ)
室室室室室室室
教室　室内

実 3 ⑧ ジツ / み / みのる
真実　実行 / 実がなる / かきが実る

写 3 ⑤ シャ / うつす / うつる
写真　写生 / 手本を写す / 写真に写る

車 1 ⑦ シャ / くるま
列車　自転車 / 車いす　糸車

社 2 ⑦ シャ / △やしろ
社社社社社社
社会　会社 / 社のお祭《まつ》り

者 3 ⑧ シャ / もの
学者　作者 / 人気者　悪者

弱 2 ⑩ △ジャク / よわい / よわる / よわまる / よわめる
弱弱弱弱弱弱
弱点　弱小 / 気が弱い / 体が弱る / 雨が弱まる / 音を弱める

手 1 ④ シュ / て / (た)
あく手　手話 / 手作り　手帳《ちょう》

主 3 ⑤ シュ / (ス) / ぬし / おも
主人公　主食 / 持ち主　家主《や》 / 主な登場人物

首 2 ⑨ △シュ / くび
首首首首首首首
首都 / 首かざり

酒 3 ⑩ シュ / さけ / さか
日本酒　飲酒 / あま酒 / 酒屋　酒場

秋 2 ⑨ シュウ / あき
秋秋秋秋秋秋
秋分の日 / 実りの秋

週 2 ⑪ シュウ
週週週週週週週
一週間　毎週

終 3 ⑪ シュウ / おわる / おえる
終点　終業式《ぎょうしき》 / 夏が終わる / 仕事を終える

習 3 ⑪ シュウ / ならう
学習　習字 / ピアノを習う

集 3 ⑫ シュウ / あつまる / あつめる / (つどう)
集合　文集 / 校庭に集まる / 切手を集める

十 1 ② ジュウ / ジッ / とお / △と
十人　十字路《ろ》 / 十本　十回 / 十日 / 十人十色

住 3 ⑦ ジュウ / すむ / すまう
住所　住人 / 町に住む / 古い住まい

3 重 ⑨
- ジュウ　体重　重病
- チョウ　軽重　貴《き》重
- (え)
- おも**い**　重い荷《に》物
- かさ**ねる**　皿《さら》を重ねる
- かさ**なる**　用事が重なる

1 出 ⑤
- △シュツ　出場　外出
- (スイ)
- で**る**　外に出る
- だ**す**　手紙を出す

2 春 ⑨
- シュン　新春
- はる　春一番　春先

3 所 ⑧
- ショ　場所　近《きん》所
- ところ　台所

2 書 ⑩
- ショ　図書館　書店
- か**く**　漢字を書く

1 女 ③
- △ジョ　少女
- (ニョ)
- (ニョウ)
- おんな　女の子
- (め)

3 助 ⑦
- ジョ　助手　助走《そう》
- たす**ける**　人を助ける
- たす**かる**　運《うん》よく助かる
- (すけ)

1 小 ③
- ショウ　小学生　大小
- ちい**さい**　小さいねこ
- こ　小声　小鳥
- お　小川

2 少 ④
- ショウ　少人数　少年
- すく**ない**　雨が少ない
- すこ**し**　ほんの少し

3 商 ⑪
- ショウ　商売　商品
- (あきな**う**)

3 章 ⑪
- ショウ　文章

3 勝 ⑫
- ショウ　勝負　勝者
- か**つ**　ゲームに勝つ
- (まさ**る**)

1 上 ③
- ジョウ　上下　屋上
- (ショウ)
- うえ　上の方
- うわ　上ばき　上着
- かみ　川上　風《かざ》上
- あ**げる**　たなに上げる
- あ**がる**　気温が上がる
- のぼ**る**　坂《さか》を上る
- (のぼ**せる**)
- (のぼ**す**)

2 場 ⑫
- ジョウ　会場　工場
- ば　立場　場合

2 色 ⑥
- △ショク　原色　配色
- シキ　色紙　色調
- いろ　黄色　空色

2 食 ⑨
- ショク　朝食　食事
- (ジキ)
- く**う**　めしを食う
- (く**らう**)
- た**べる**　魚を食べる

2 心 ④
- シン　中心　心配
- こころ　真心　心細い

3 身 ⑦
- シン　身長《ちょう》　全身
- み　身軽　身近

3 真 ⑩
- シン　写真　真実
- ま　真ん中　真夏

3 進 ⑪
- シン　行進　前進
- すす**む**　前に進む
- すす**める**　計画《かく》を進める

1 森 ⑫
- シン　森林
- もり　森の中

2 新 ⑬
- シン　新入生　新年
- あたら**しい**　新しい教科書
- △あら**た**　新たな決意
- (にい)

2 親 ⑯
- シン　親切　両親
- おや　親子　親方
- △した**しい**　親しい友だち
- △した**しむ**　読書に親しむ

1 人 ②
- ジン　名人　人生
- ニン　人気　人間
- ひと　人手　人一倍

す

2 図 ⑦
- ズ　図形《けい》　合図
- ト　図書館
- (はか**る**)

1 水 ④
- スイ　地下水　水道
- みず　水着　雨水

2 数 ⑬
- スウ　数字　回数
- (ス)
- かず　大きな数
- かぞ**える**　百まで数える

せ

1 正 ⑤
- セイ　正門　正式《しき》
- ショウ　正月　正直《じき》
- ただ**しい**　正しい答え
- ただ**す**　しせいを正す
- △まさ　正ゆめ

1 生 ⑤
- セイ　先生　三年生
- △ショウ　一生
- い**きる**　長く生きる
- い**かす**　考えを生かす
- い**ける**　花を生ける
- う**まれる**　妹が生まれた
- う**む**　新記録《ろく》を生む
- (お**う**)
- は**える**　草が生える
- は**やす**　ひげを生やす
- (き)
- △なま　生たまご

2 西 ⑥
- △セイ　西洋
- サイ　東西
- にし　西風　西日

2 声 ⑦
△セイ　音声
（ショウ）
こえ　大声　歌声
（こわ）

1 青 ⑧
△セイ　青年　青春
（ショウ）
あお　青空　青白い
あお**い**　青い海

2 星 ⑨
△セイ　火星
（ショウ）
ほし　星空　流れ星

2 晴 ⑫
△セイ　晴天
は**れる**　晴れた空
は**らす**　見晴らし

3 整 ⑯
セイ　整理　整列
ととの**える**　形を整える
ととの**う**　室内が整う

1 夕 ③
（セキ）
ゆう　夕方　夕立

1 石 ⑤
△セキ　岩《がん》石　石油《ゆ》
△シャク　磁《じ》石
（コク）
いし　石ころ　小石

1 赤 ⑦
△セキ　赤道
（シャク）
あか　赤組　赤字
あか**い**　赤い花
あか**らむ**　顔が赤らむ
あか**らめる**　顔を赤らめる

3 昔 ⑧
（セキ）
（シャク）
むかし　昔話

2 切 ④
セツ　大切　親切
（サイ）
き**る**　紙を切る
き**れる**　よく切れる

2 雪 ⑪
△セツ　新雪　雪原
ゆき　雪かき　大雪

1 千 ③
セン　千円さつ
△ち　千代《よ》紙

1 川 ③
（セン）
かわ　小川　川岸《ぎし》

1 先 ⑥
セン　先生　先頭
さき　庭先　手先

2 船 ⑪
△セン　汽船　風《ふう》船
ふね　船に乗《の》る
△ふな　船乗り　船旅

2 線 ⑮
セン　点線　電線

3 全 ⑥
ゼン　全体　安《あん》全
まった**く**　全く知らない

2 前 ⑨
ゼン　食前　前回
まえ　学校の前

そ

2 組 ⑪
△ソ　組織《しき》
く**む**　かたを組む
くみ　白組　二人組

1 早 ⑥
ソウ　早朝
（サッ）
はや**い**　早く起きる
はや**まる**　開始が早まる
はや**める**　出《しゅっ》発を早める

2 走 ⑦
△ソウ　百メートル走
はし**る**　馬が走る

1 草 ⑨
ソウ　草原　野草
くさ　草花　道草

3 相 ⑨
ソウ　相談《だん》
（ショウ）
あい　相手　相づち

3 送 ⑨
ソウ　放送　配送
おく**る**　手紙を送る

1 足 ⑦
ソク　土足　遠足
あし　足ぶみ　足音
た**りる**　お金が足りる
た**る**　三日足らず
た**す**　水を足す

3 息 ⑩
ソク　休《きゅう》息　消《しょう》息
いき　ため息　鼻息

1 村 ⑦
△ソン　村長《ちょう》
むら　村人　村祭《まつ》り

た

弟（ダイ）→「テイ」を見よう。
谷（たに）→「コク」を見よう。

2 多 ⑥
△タ　多少　多数決
おお**い**　人が多い

2 太 ④
タイ　太陽《よう》　太平《へい》洋
△タ　丸太
ふと**い**　太いロープ
ふと**る**　太った牛

2 体 ⑦
タイ　体育《いく》　体温
（テイ）
からだ　体をきたえる

3 対 ⑦
タイ　対決　反対
（ツイ）

1 大 ③
ダイ　大地　重大
タイ　大切　大金
おお　大雨　大声
おお**きい**　大きい犬
おお**いに**　大いに歌う

2 台 ⑤
ダイ　土台　台本
△タイ　台風《ふう》　屋台

3 代 ⑤
ダイ　時代　代表
タイ　交代
か**わる**　当番を代わる
か**える**　係を代える
△よ　千《ち》代紙
（しろ）

3 題 ⑱
ダイ　題名　話題

男 1 ⑦
△ダン △ナン おとこ
男子 男女《じょ》
次男
男の子

ち

地 2 ⑥
チ ジ
地図 地方
地面
地地地地地地

池 2 ⑥
△チ いけ
電池 用水池
池の魚
池池池池池池

知 2 ⑧
△チ し**る**
知人
真実を知る
知知知知知知知知

竹 1 ⑥
△チク たけ
竹林
竹やぶ 青竹

茶 2 ⑨
チャ （サ）
茶色 新茶
茶茶茶茶茶茶茶

着 3 ⑫
チャク （ジャク）
き**る** き**せる** つ**く** つ**ける**
決着 着地
シャツを着る
服を着せる
駅に着く
エプロンを着ける

中 1 ④
チュウ なか
空《くう》中 中学生
真ん中 夜《よ》中

虫 1 ⑥
△チュウ むし
こん虫
青虫 虫の声

注 3 ⑧
チュウ そそ**ぐ**
注意 注文
お茶を注ぐ

昼 2 ⑨
△チュウ ひる
昼食
昼休み 真昼
昼昼昼昼昼昼昼昼

柱 3 ⑨
チュウ はしら
電柱
柱時計

丁 3 ②
チョウ （テイ）
一丁目

町 1 ⑦
チョウ まち
町長《ちょう》
町工場 下町

長 2 ⑧
△チョウ なが**い**
校長 長所
長い休み
長長長長長長長長

鳥 2 ⑪
△チョウ とり
野鳥 白鳥
小鳥 鳥かご
鳥鳥鳥鳥鳥鳥鳥

朝 2 ⑫
チョウ あさ
朝食 早朝
朝顔 朝日
朝朝朝朝朝朝朝

調 3 ⑮
チョウ しら**べる** （ととの**う**） （ととの**える**）
調子 体調
本で調べる

直 2 ⑧
△チョク △ジキ △ただ**ちに** なお**す** なお**る**
直線 日直
正直
直ちに行う
テレビを直す
きげんが直る
直直直直直直直

つ

通 2 ⑩
ツウ （ツ） とお**る** とお**す** △かよ**う**
通学 交通
車が通る
糸を通す
学校に通う
通通通通通通通

て

弟 2 ⑦
（テイ） ダイ （デ） おとうと
兄弟
弟と妹
弟弟弟弟弟弟弟

庭 3 ⑩
テイ にわ
校庭 家庭
中庭 庭先

天 1 ④
テン （あめ） あま
天気 天才
天の川

店 2 ⑧
テン みせ
商店 書店
店先 店番
店店店店店店店

点 2 ⑨
テン
点数 点字
点点点点点点点

転 3 ⑪
テン ころ**がる** ころ**げる** ころ**がす** ころ**ぶ**
回転 転校
石が転がる
転げ落ちる
玉を転がす
坂《さか》道で転ぶ

田 1 ⑤
△デン た
水田 田園
田植《う》え

電 2 ⑬
デン
電気 電話
電電電電電電電

と

都 3 ⑪
ト ツ みやこ
都会 首《しゅ》都
都合
住めば都

土 1 ③
ド ト つち
土曜日 土手
土地
赤土 土遊び

度 3 ⑨
ド （ト） （タク） （たび）
今度 温度

刀 2 ②
△トウ かたな
木《ぼく》刀
小刀
刀刀

冬 2 ⑤
トウ ふゆ
春夏秋冬
冬休み 真冬
冬冬冬冬冬

当 2 ⑥
トウ あ**たる** あ**てる**
当番 本当
日が当たる
まとに当てる
当当当当当当

投
3　⑦
トウ　投手　投書
な**げる**　球を投げる

東
2　⑧
トウ　東西　東京
ひがし　東の空

答
2　⑫
△トウ　返《へん》答　問答
こた**える**　問いに答える
こた**え**　正しい答え

湯
3　⑫
トウ　熱《ねっ》湯
ゆ　湯をわかす

登
3　⑫
トウ　登場　登校
ト　登山
のぼ**る**　山に登る

頭
2　⑯
トウ　先頭　三頭
ズ　頭上
（ト）
あたま　頭をあらう
（かしら）

同
2　⑥
△ドウ　同時　合同
おな**じ**　同じクラス

動
3　⑪
ドウ　動物　運《うん》動
うご**く**　電車が動く
うご**かす**　体を動かす

道
2　⑫
ドウ　歩道　道具《ぐ》
（トウ）
みち　道を教える

童
3　⑫
ドウ　童話　児《じ》童
（わらべ）

読
2　⑭
ドク　音読　読者
△トク　読本
△トウ　読点
よ**む**　本を読む

な

何（なに・なん）、→「カ」を見よう。

内
2　④
ナイ　年内　内心
（ダイ）
うち　内気　内がわ

南
2　⑨
ナン　南国　南北
（ナ）
みなみ　真南　南風

に

二
1　②
ニ　二番　二年生
ふた　二口
ふた**つ**　二つ

肉
2　⑥
ニク　牛肉　肉食

日
1　④
ニチ　日時　日曜日
△ジツ　本日　休《きゅう》日
ひ　夕日　日ざし
か　三日

入
1　②
ニュウ　入学　記入
い**る**　気に入る
い**れる**　箱《はこ》に入れる
はい**る**　ふろに入る

ね

年
1　⑥
ネン　学年　年表
とし　年下　半年

は

羽（は・はね）→「ウ」を見よう。
鼻（はな）→「ビ」を見よう。

波
3　⑧
ハ　電波
なみ　大波　波風

馬
2　⑩
バ　馬車　乗《じょう》馬
うま　竹馬　子馬
（ま）

配
3　⑩
ハイ　心配　分配
くば**る**　新聞を配る

売
2　⑦
バイ　商売　売店
う**る**　本を売る
う**れる**　よく売れる本

倍
3　⑩
バイ　三倍　数倍

買
2　⑫
△バイ　売買
か**う**　ノートを買う

白
1　⑤
ハク　白紙　空《くう》白
（ビャク）
しろ　白組　真っ白
しろ**い**　白い息
△しら　白玉

麦
2　⑦
（バク）
むぎ　麦茶　小麦

八
1　②
ハチ　八月　八まい
や　八重《え》ざくら
や**つ**　八つ当たり
やっ**つ**　八つ
よう　八日

発
3　⑨
ハツ　発表　出《しゅっ》発
（ホツ）

反
3　④
ハン　反対　反発
（ホン）
（タン）
そ**る**　板が反る
そ**らす**　むねを反らす

半
2　⑤
ハン　半分　前半
△なか**ば**　夏休みの半ば

板
3　⑧
ハン　鉄《てっ》板　合板
バン　黒板
いた　板の間　板前

番
2　⑫
バン　番号　交番

ひ

悲
3　⑫
ヒ　悲鳴《めい》
かな**しい**　悲しい物語
かな**しむ**　死を悲しむ

美 3 ⑨
- ビ　美声《せい》　美容院《よういん》
- うつく**しい**　美しい夕日

鼻 3 ⑭
- （ビ）
- はな　鼻歌　鼻声

百 1 ⑥
- ヒャク　百発百中

氷 3 ⑤
- ヒョウ　氷山　流氷
- こおり　かき氷
- （ひ）

表 3 ⑧
- ヒョウ　表紙　発表
- おもて　表とうら
- あらわ**す**　言葉で表す
- あらわ**れる**　顔に表れる

秒 3 ⑨
- ビョウ　一秒　秒速《そく》

病 3 ⑩
- ビョウ　病気　病院《いん》
- （ヘイ）
- （や**む**）
- やまい　病は気から

品 3 ⑨
- ヒン　作品　食品
- しな　品物　手品

ふ

父 2 ④
- △フ　父母《ぼ》
- ちち　父親

負 3 ⑨
- フ　勝負
- ま**ける**　試合《し》に負ける
- ま**かす**　言い負かす
- お**う**　きずを負う

部 3 ⑪
- ブ　部分　全部

風 2 ⑨
- △フウ　風船《せん》　強風《きょう》
- （フ）
- かぜ　春風　風通し
- △かざ　風上　風向き

服 3 ⑧
- フク　洋服　服用

福 3 ⑬
- フク　幸福　福は内

物 3 ⑧
- ブツ　名物　人物
- モツ　荷《に》物　作物
- もの　物語　着物

文 1 ④
- ブン　文章　文集
- モン　天文台　注文
- （ふみ）

分 2 ④
- ブン　水分　気分
- △フン　五分間
- ブ　五分五分
- わ**ける**　三人で分ける
- わ**かれる**　道が分かれる
- わ**かる**　答えが分かる
- わ**かつ**　苦労《くろう》を分かつ

聞 2 ⑭
- ブン　新聞紙　見聞
- （モン）
- き**く**　話を聞く
- き**こえる**　声が聞こえる

へ

米 2 ⑥
- △ベイ　米作　米国
- △マイ　白米　新米
- こめ　米つぶ

ほ

歩 2 ⑧
- ホ　歩道　歩行
- （ブ）
- （フ）
- ある**く**　家まで歩く
- △あゆ**む**　ゆっくり歩む

母 2 ⑤
- △ボ　父《ふ》母　母校
- はは　母親

方 2 ④
- ホウ　方向　北の方
- かた　書き方

放 3 ⑧
- ホウ　放送
- はな**す**　手を放す
- はな**つ**　矢を放つ
- はな**れる**　放れた鳥

北 2 ⑤
- ホク　東北　南北
- きた　北国　北風

木 1 ④
- △ボク　大木　木刀《とう》
- モク　木曜日　木目
- き　木登り
- △こ　木立　木かげ

本 1 ⑤
- ホン　本物　絵本
- △もと　本を正す

ま

毎 2 ⑥
- マイ　毎日　毎回

妹 2 ⑧
- （マイ）
- いもうと　妹と弟

万 2 ③
- マン　一万円　万一
- （バン）

み

耳（みみ）→「ジ」を見よう。

味 3 ⑧
- ミ　意味
- あじ　味見　後味
- あじ**わう**　詩を味わう

む

昔（むかし）→「セキ」を見よう。

麦（むぎ）→「バク」を見よう。

め

名 1 ⑥
- メイ　名人　有《ゆう》名
- △ミョウ　名字
- な　名ふだ　名前

明 2 ⑧
- △メイ　明暗　発明
- △ミョウ　明朝
- △あか**り**　月明かり
- あか**るい**　明るい人がら
- あか**るむ**　空が明るむ
- あか**らむ**　空が明らむ
- △あき**らか**　明らかな事実
- あ**ける**　年が明ける
- あ**く**　らちが明かない
- あ**くる**　明くる日
- あ**かす**　真実を明かす

鳴 2 ⑭
△メイ　悲鳴
な**く**　鳥が鳴く
な**る**　かねが鳴る
な**らす**　ベルを鳴らす
鳴鳴鳴鳴鳴鳴鳴

面 3 ⑨
メン　地面　場面
（おも）
（おもて）
（つら）

も

毛 2 ④
△モウ　毛筆《ひっ》　羊《よう》毛
け　毛糸　わた毛
毛毛毛毛

目 1 ⑤
モク　目次　注目
（ボク）
め　役目　目薬
（ま）

門 2 ⑧
モン　校門　入門
（かど）
門門門門門門門門

問 3 ⑪
モン　問題　学問
と**う**　わけを問う
と**い**　問いに答える
△とん　問屋

や

矢（や）→「シ」を見よう。

夜 2 ⑧
△ヤ　今夜　深《しん》夜
△よ　夜中　月夜
よる　昼と夜
夜夜夜夜夜夜夜

野 2 ⑪
ヤ　野草　野球
の　野山　野原
野野野野野野野

役 3 ⑦
ヤク　役目　役立つ
（エキ）

薬 3 ⑯
ヤク　火薬　薬局
くすり　目薬　かぜ薬

ゆ

夕（ゆう）→「セキ」を見よう。
弓（ゆみ）→「キュウ」を見よう。

由 3 ⑤
△ユ　由来
ユウ　自由　理由
（ユイ）
（よし）

友 2 ④
ユウ　親友　友人
とも　友だち
友友友友

遊 3 ⑫
ユウ　遊園地
（ユ）
あそ**ぶ**　友だちと遊ぶ

よ

用 2 ⑤
ヨウ　用事　用意
△もち**いる**　道具《ぐ》を用いる
用用用用用

洋 3 ⑨
ヨウ　洋服　太平《へい》洋

葉 3 ⑫
ヨウ　落葉
は　落ち葉　青葉

様 3 ⑭
ヨウ　様子
さま　神《かみ》様

曜 2 ⑱
ヨウ　曜日
曜曜曜曜曜曜曜

ら

来 2 ⑦
ライ　来客　来年
く**る**　夏が来る
（きた**る**）
（きた**す**）
来来来来来来来

落 3 ⑫
ラク　落下　落馬
お**ちる**　日が落ちる
お**とす**　はしを落とす

り

里 2 ⑦
△リ　一里
さと　山里　里帰り
里里里里里里里

理 2 ⑪
リ　理科　理由
理理理理理理理

立 1 ⑤
△リツ　国立　起立
（リュウ）
た**つ**　いすから立つ
た**てる**　計画《かく》を立てる

流 3 ⑩
リュウ　流行　交流
（ル）
なが**れる**　あせが流れる
なが**す**　音楽を流す

旅 3 ⑩
リョ　旅行　旅館
たび　旅人　船《ふな》旅

両 3 ⑥
リョウ　両親　両方

力 1 ②
△リョク　体力　実力
△リキ　人力車　馬力
ちから　力こぶ

緑 3 ⑭
リョク　新緑　緑茶
（ロク）
みどり　緑色　黄緑

林 1 ⑧
リン　森林　林業《ぎょう》
はやし　まつ林

れ

礼 3 ⑤
レイ　お礼
（ライ）

列 3 ⑥
レツ　整列　行列

ろ

六 1 ④
ロク　六人　六年生
む　六月目
む**つ**　六つ切り
むっ**つ**　六つ
むい　六日

わ

話 2 ⑬
ワ　会話　電話
はな**す**　友だちと話す
はなし　昔話　長話
話話話話話話話

「言葉の森」あんない

●へんしん物語

学習を広げたり深《ふか》めたりする資料《しりょう》です。

●世《せ》界《かい》の「こんにちは」と文字 はってん

自分の力で学習を進めるないようです。

さあ、森へのとびらを開けてみましょう。

へんしん物語

▼身近なところにも、物語はあふれています。何かの目と心になったつもりで、身の回りの出来事を物語のように書いてみましょう。
（「たから物をさがしに」）

いちょうの木（書きだしの部分）

山口《やまぐち》　幾子《いくこ》

わたしは、校庭のすみのいちょうの木です。

今、わたしは、黄色いじゅうたんを、地面にいっぱい広げて、みんなにふんでもらっています。でも、わたしの体があんまり大きいので、わたしを見上げてくれる人は、だれもいません。

高い所から、今日一日、みんなの様子をながめたときのことを話しましょう。

今朝、いちばんに登校してきたのは、一年生の女の子です。

さっそく外に出て、次に来た二、三人の一年生たちと、わたしのまわりでおにごっこを始めました。元気よくキャアキャア走り回っていました。

でも、急に、遊ぶのをやめてしまいました。

「もう、かててやらん《なかまに入れてやらない》もんねえ。」

とか、

「いいもん。あんた、いつもいばってばかり、いかんとよ《いけないよ。》。」

とか、言い合っています。どうやらけんかになったのでしょう。そのうち、たった一人のこされた女の子が、しくしくと、わたしにもたれてなきだしてしまいました。そこで、わたしは、葉を、ぱらぱらと、女の子の頭の上に落としてあげました。それは、わたしが、なくのはやめなさいと、なぐさめるためにしたのです。

世界《せかい》の「こんにちは」と文字

はってん

▼ここにある言葉を知っている人がいたら、あいさつしてみましょう。「ありがとう」はどう言うのかな。知っている人にきいたり、調べたりしてみましょう。

ニーハオ
（中国の子ども）

ボア タルデ
（ポルトガルの子ども）

こんにちは
（日本の子ども）

ハロー
（アメリカの子ども）

ブエナス タルデス
（スペインの子ども）

アッサラーム　アライクム
（エジプトの子ども）

アンニョンハシムニカ
（韓国《かんこく》の子ども）

ナマステ
（インドの子ども）

ズドラーストヴィーチェ
（ロシアの子ども）

グーテン　ターク
（ドイツの子ども）

ボンジュール
（フランスの子ども）

ジャンボ
（ケニアの子ども）

外国の文字を使って，日本の言葉を書き表すことができます。

大文字	A	I	U	E	O			
	あ a	い i	う u	え e	お o			
K	か ka	き ki	く ku	け ke	こ ko	きゃ kya	きゅ kyu	きょ kyo
S	さ sa	し si	す su	せ se	そ so	しゃ sya	しゅ syu	しょ syo
T	た ta	ち ti	つ tu	て te	と to	ちゃ tya	ちゅ tyu	ちょ tyo
N	な na	に ni	ぬ nu	ね ne	の no	にゃ nya	にゅ nyu	にょ nyo
H	は ha	ひ hi	ふ hu	へ he	ほ ho	ひゃ hya	ひゅ hyu	ひょ hyo
M	ま ma	み mi	む mu	め me	も mo	みゃ mya	みゅ myu	みょ myo
Y	や ya	(い) (i)	ゆ yu	(え) (e)	よ yo			
R	ら ra	り ri	る ru	れ re	ろ ro	りゃ rya	りゅ ryu	りょ ryo
W	わ wa	(い) (i)	(う) (u)	(え) (e)	を (o) 《wo》			
	ん n							
G	が ga	ぎ gi	ぐ gu	げ ge	ご go	ぎゃ gya	ぎゅ gyu	ぎょ gyo
Z	ざ za	じ zi	ず zu	ぜ ze	ぞ zo	じゃ zya	じゅ zyu	じょ zyo
D	だ da	ぢ (zi)	づ (zu)	で de	ど do	ぢゃ (zya)	ぢゅ (zyu)	ぢょ (zyo)
B	ば ba	び bi	ぶ bu	べ be	ぼ bo	びゃ bya	びゅ byu	びょ byo
P	ぱ pa	ぴ pi	ぷ pu	ぺ pe	ぽ po	ぴゃ pya	ぴゅ pyu	ぴょ pyo

( )の中の書き方は，重ねて出してあるもの。《 》の中は，とくべつな発音に使う。

tukue　　isu　　kokuban
つくえ　　いす　　こくばん